『シュレミール』の二十年
——自己を掘り下げる試み

著者　佐川和茂

大阪教育図書

はしがき

『シュレミール』に執筆を開始してから、早いもので二十年がたった。『シュレミール』とは、二〇〇一年に発足した日本ユダヤ系作家研究会の機関誌である。それは、僕にとって、重要な発表機関であった。青山学院大学の経営学部に在職中は、毎年のように、『青山経営論集』に二編の論文を執筆し、『シュレミール』へ書き、加えて、学会での共著の企画にも参加していたので、多忙と言えば多忙であったが、それは論文執筆を通して自己を掘り下げてゆく楽しい期間でもあった。

「シュレミール」という言葉は、流浪のユダヤ人が用いていたイディッシュ語であり、「騙されやすく、絶えず不運に見舞われ、不器用で社会にうまく適応できない人間」(『新イディッシュ語の喜び』)を表わすそうであるが、それは紆余曲折の人生を潜り抜けてきた僕のような人間にも当てはまるかもしれない。

そのイディッシュ語を駆使し、日本ユダヤ系作家研究会を創設して長くその会長を務め、海外でもイディッシュ語の講演を続けてきた広瀬佳司ノートルダム清心女子大学教授には、深く感謝している。

広瀬教授とは、最初、日本マラマッド協会でお会いしたが、実際、それ以前に、広瀬教授は、僕が発表していたアイザック・バシェヴィス・シンガーに関する論文を読んでいてくださったそうである。

これに関して、はるか昔、研究社の『英語青年』に掲載されていた記事を思い出す。その要旨は、文学に関する研究論文の平均読者は、残念ながら、執筆者を含めて「一・八人」である、というものであった。

そのような状況にあって、広瀬教授は、シンガーに関する拙論を読んでいてくださり、それが僕にとって、日本ユダヤ系作家研究会における二十年という活動の契機になったのである。

これに関係してさらに付け加えると、これは二十年以上も前のことであるが、当時出版した共著が、どのような経路をたどったものか、なんとイスラエルの図書館に入り、それを日本語のわかるイスラエルの方が読んでくださり、出版社を経由して日本語で感想を送ってくださったので、僕も日本語で返事を差し上げたことがある。

というわけで、たとえ読者が少ない論文や共著でさえも、実際、どこでどなたが読んでくださっているかわからない、という神秘的な可能性も含んでいるのだ。

ここで七十余年の僕の生活を振り返ると、碁・将棋・マージャンはできず、野球やゴルフもできず、水泳もできず、誠に無いない尽くしであるが、反面、中学時代から歌を歌うこと、日記をつけること、そして、二十代後半からユダヤ研究に励むこと、だけは継続してきた。乏しい才能であるから、ほんの少数のことにしか、力が及ばないのである。そのように継続してきたわずかなことの中に、『シュレミール』に二十年、執筆してきたことが含まれるのだ。それは、蟻が樫の巨木を噛むような僕のユダヤ研究の一環である。

そのささやかなことを、改めて心に刻もうとして、また、日本ユダヤ系作家研究会の会員に感謝を込めて、本書を編むことにした次第である。

目次

はしがき／i

●アイザック・バシェヴィス・シンガー

第1章　アイザック・バシェヴィス・シンガーと児童文学／1
第2章　アイザック・バシェヴィス・シンガーの「魔女」――精神の核を探して／19
第3章　『メシュガー』の世界を辿って――ホロコーストを経た狂気と寛容／34

●生と死

第4章　ソール・ベローの『ラヴェルスタイン』――死者よりの贈物／56
第5章　ソール・ベローの『ラヴェルスタイン』――生と死のかなたに／77
第6章　死と競り合って――歴史家デイヴィッド・ワイマン／102

『シュレミール』の二十年――自己を掘り下げる試み』

●ユダヤ人の合理主義と神秘主義

第7章　ソール・ベローの『この日をつかめ』――ユーモアと神秘主義のきらめき／*122*

第8章　アイザック・バシェヴィス・シンガーとユダヤ神秘主義／*143*

第9章　ユダヤ人の合理主義と神秘主義／*163*

●ユダヤ人の伝統、古い道を求めて

第10章　回帰と希望――ソール・ベローの「黄色い家を残して」と「古い道」／*185*

第11章　古き人よ、目覚めよ――アイザック・バシェヴィス・シンガーの『悔悟者』／*200*

第12章　ラビ・スモール・シリーズにおける記憶と伝統――ユダヤ人の古い道を求めて／*219*

あとがき／*243*

著者紹介／246

●アイザック・バシェヴィス・シンガー

第1章　アイザック・バシェヴィス・シンガーと児童文学

1　はじめに

シンガーの一人息子イスラエル・ザミラは、二十年間別れていた父との絆を求める著作（『父親への旅路』）において、一つの逸話を漏らす。それは作家が「毎朝七時に起床し、勤勉に執筆を続けた」事実である。さりげない形であるが、ここにはノーベル文学賞に到達した偉大な継続性が読み取れるのではないか。勤勉で情熱的に生きた作家アイザック・バシェヴィス・シンガーは、たくさんの自伝的・歴史的・象徴的な長編や短編を世に出したが、児童文学の傑作も数多く残している。これは注目に値しよう。

シンガーが児童文学に心血を注いだ理由はなんであったのか。それを三点に絞るとすれば、子供たちへの思い、ヒトラーによって失われた世界の創出、そして、破壊された世界の修復、という主題になろうか。それを詳しく述べてみたい。

2　子供たちへの思い

まず、子供たちへの思いである。シンガーは、「子供時代より悪書を読むことで、この世に悪がはびこる」（『子供たちのための物語』）と憂い、「神への信仰、恩賞と処罰、霊魂の不滅、また、倫理の妥当性さえ信じることなく育つ子供が増えるのではないか」（『父親への旅路』）と問題を提起している。そこで、今日、商業化を通して大人の文学が堕落したと嘆くシンガーは、子供たちに注目してゆく。子供たちは、作家の名声や書評という「権威」におもねることなく、たとえ神が書いたと言われる作品であろうと、好き嫌いを明確に示すからである。そのような子供たちを、シンガーは最良の読者と見なす。

それでは、商業主義に染まるマスメディアによって、子供たちが悪影響にさらされる危険が増し、いっぽう、人間性を育む文化が低下していると思える現状において、子供たちに配慮し、文明の質を高めるために、何が可能か。それはまず、優れた児童文学、そして良書の普及に努めることであろう。この点で、子供を持つ親はもとより、教育・出版に携わる知識人の責任は計り知れない。関係者は、教育の重要性を認識し、悪影響に抵抗する叡智を蓄積し、それを周囲に広めてゆくことが大切ではないか。シンガーが『悔悟者』で述べるように、精神に害を及ぼす「毒を飲んで一日を始める必要はない」のであり、精神を集中して日々の務めに向かうために、何を選択すべきか。これが各人に問われているのである。

3　失われた世界の創出

次に、シンガーは、第二次大戦中、ヒトラーによって失われた東欧ユダヤ人の世界を、小説や短編に生き生きと描いてきたが、そのことは彼の児童文学にも当てはまる。

たとえば、ポーランドの寒村を舞台に少年と動物の温かい交流を描く『山羊のズラータ』の序文を見よう。そこでは、亡霊の世界を求める作者の声が響いてくる。「文学とは、もろもろの気持ちを込めて過去を蘇らせてくれるものである。作家にとって、昨日という日は、過ぎ去った歳月と同様、現存しているのである」と。作家は、失われた世界を描きながら、意義ある観点を現代に提供しようとするのである。そこで、この童話集を、愚かな競争や残酷な迫害によって成長の機会を失った多くの子供たちに捧げるいっぽう、本書の若い読者が、成長した暁に、自らの、そして世界の、善良な子供たちを愛するよう望むのである。

4　修復の主題

このように子供たちを思い、失われた世界を描くシンガーは、また、長編・短編や児童文学を通して、世界修復の主題を物語るのである。事実、シンガーが児童文学に精魂を傾ける要因は、六百万といわれるユダヤ人を犠牲にしたホロコースト以後、人間の文明をいかに擁護してゆくのか、という永遠の問いを若い読者に訴えようとする熱情ではないか。ただし、それは声高にではなく、さりげなく、時には皮肉を込めた調子で読者の耳に響くのである。

さて、この主題を掘り下げるならば、シンガーの場合、それはユダヤ神秘主義と関わってゆくと思われる。

たとえば、ユダヤ神秘主義の思想家イツハク・ルーリア（一五三四―一五七二）によれば、天地創造の際、そのあまりの圧力のために砕け散った神の器より聖なる光が世界に飛散した。その飛散した光を、善行を成すことによって拾い集める努力が、各人に求められているという。これはまさに、世界修復の主題である。

また、ユダヤ神秘思想の聖典（『ゾーハル』）や、ハシディズムにおいては、善悪の闘争を経て創造へと至る。それを発展的に捉えるならば、ホロコースト以後、沈黙してその大悲劇を黙認したように思われる神を糾弾するのみでなく、ホロコーストを経た文明を再建するに当たって、善悪を併せ持つ人間自身の積極的な関与が求められているのである。

さらに、この修復の主題に関して、シンガーが作品中で時折ラビ・ナフマンに言及することに注目したい。

ラビ・ナフマンの作品や生涯を伝える著作（『ブラツラフのラビ・ナフマンの物語』）によれば、ラビ・ナフマンは、母方においてハシディズムの創始者の曾孫に当たり、四十歳を前にして世を去った人物である。生きた時間の長さではなく、その時間が含む豊饒な内容を髣髴とさせるその生涯において、彼は宗教的な著作や宗教運動に多大の功績を残し、その影響は今日にまで及んでいるのである。

その著作には、世界の修復という主題が顕著に表れている。まず、ラビ・ナフマンの物語に登場する王は神を象徴し、王女はこの世における神の顕在を、家臣はユダヤの精神的な指導者たちを表わす。また、囚われた王女を探索する苦難はユダヤ民族の歴史を暗示し、その過程では、一般大衆が救済を求める草の根運動が重視されているのである。ここでも創造の器より飛び散った聖なる光を収集し、世界に秩序を回復することが各人に求められるが、それは破壊して再生することではなく、わずかでも徐々に世界の修復が求められるのだ。そこで各人の務めは、聖なる創造主のイメージに照らして自らを再生し、それを通して自己や世界を救済することである。たとえささやかであっても、各人が適時に適切な行動をとるよう努めるならば、全体が完成に向かってゆく。このようにして、未完の世界は修復を待つのである。

古い世界を描きながら永遠の問いを投げかけるラビ・ナフマンの物語は、多くの点でシンガーの文学を連想させよう。両者は、自伝的で告白的な内容を含み、登場人物たちは作者の性格を体現し、また、多面的な物語は、何よりも読者を楽しませながら、その深い意味を探らせるよう導くのである。物語は、世界の修復という大きな枠組みの中に細かな筋を織り込み、緊迫感をもたらす善悪の葛藤を経て、修復を目指すのである。また、人は小宇宙を形成するという神秘思想に基づき、各人の内面で生じる事柄が、世界の事象と比例する場合が描かれる。

したがって、ラビ・ナフマンと絡めてシンガーの児童文学を探ることは意義深いが、その際、それにおとぎ話や民話や夢を加えてもよいと思われる。シンガーの『愛を求める青年』は、民話、夢、幻想の中にうずもれた多くの真実やその断片を垣間見ようとし、『子供たちのための物語』では、民話と文学との関連が語られるからである。シンガーは、作者の精神の故郷に深く根差した作品が、かえって普遍性を持ちうる（同上）と考え、真に語るべき主題や話題があるか、語り伝えたい意欲があるか、作者の個性や物の見方との関連が強いか、という三点を執筆条件と見なしている（同上）。

ちなみに、河合隼雄の『昔話の深層』によれば、昔話は「単に昔のことではなく、いかに現代人の心と結びついているか」を伝えるものであり、また、昔話には、「特定の場所と時間からの思い切った分離があり、それは内的現実への接近を容易に」し、「文字通りの繰返しは昔話にまさしく宗教的な儀式の感じを添え」、「その属する文化や社会の、公の考え方に対して、何らかの補償作用を有する」という。そして、「日本人として民話の中に日本人の心の根源をどう探ってゆくか」と問うのである。これらの言葉を、シンガーの児童文学に当てはめて味わうことができよう。

以上、シンガーが児童文学を重視する要因と思われる三点を述べてきたが、それではそれに基づいて、具体的にシンガーの作品を眺めてゆきたい。

5　シンガーの作品

まず、『シュレミール、ワルシャワに発つ』においては、妖精が舞い飛び、聖者と魔女が戦い、幸運と不運の妖精が知恵比べを展開する。そして、過去や来世が現われ、この世の摩訶不思議が描かれる。ここでは、失われた世界が描写され、世界の修復が語られているのである。

特に、「ラビ・リーブと魔女キューナグンダ」において、大きな林に住むラビと魔女は、それぞれ善と悪の力を用いて対決する。魔女はラビに結婚を強要していろいろ誘惑し、召使ハミザーを遣いによこす。そこでラビは結婚すると偽って魔女の力を奪い、彼女を再び戻れない場所に送ってしまう。しかし、ラビの死後、善悪の戦いは再び展開されてゆくのである。

いっぽう、好奇心が強い孤児のメナセは、「荒野に独り」でいるとき、眠りに落ち、夢を見る。そこでは神秘的な城の中で世を去った肉親たちと再会し、自分の過去と未来を眺め、夢の中の少女に現実で出会う。

同様の表現を題名とした『荒野に独り』では、老夫婦に生まれた一人息子ヨセフが孤児となり、荒野を独りさ迷う。ところが、そこで出会う天使より願い事が何でもかなうお守りを授かり、様々な試練を経て、前世で結婚するはずであった王女と結ばれるのである。

また、たとえ前世で罪を犯し、卑しい身分に格下げされた人々でさえ、その罪を懺悔したならば、浄化されてゆく。人はいかに邪悪の深淵に落ちようとも、懺悔する道は常に開かれているのだと説き、魂の救い、世界の修復、神への信頼を、若い読者に伝えようとするのである。

ところで、現世を重視するユダヤ教の観点から見れば、これらの童話において、シンガーが前世や来世を描き、魂の輪廻を唱えることは、異端と思えるかもしれない。ユダヤ教では、この世における善行を重視するが、それによって必ずしも来世で救われることを期待していないのである。あるいは、ヨブ記に見られるように、いわれなき苦難を経ても、それによって来世で報われる保証はない。ユダヤ教で来世と言えば、死後、子孫などに残される記憶や影響を意味している。しかし、ニューヨークの路地で鳩にえさを与えることを日課としたシンガーは、かねてより自分は「腹をすかせた鳩に生まれ変わるであろう」(『父親への旅路』)と述べていたそうである。

また、他の諸作品に窺えるように、シンガーは菜食主義者である。しかし、ユダヤ教は肉食を禁じているわけではなく、清浄食品に関する戒律を守ればよいのである。それでも、神は莫大な叡智を有するが恩寵に乏しいと見なすシンガーは、神の摂理に抵抗し、肉食を潔しとしない。「動物を虐殺することから人間の虐殺へは紙一重である」（『悔悟者』）と思うからである。ここに、シンガー独自の宗教観や歴史観に根差した「抵抗の宗教」を読み取ることができよう。

さて、前述した『山羊のズラータ』は、ユダヤ人のハヌカ祭を中心にした美しい童話集である。たとえば、「悪魔の計略」において、悪魔と勇敢に戦う少年は、巨人を退治したユダヤ聖書のダビデを連想させるが、ここで悪魔は、ハヌカ祭の夜になると、一本のろうそくの光を消し去ることができないのである。

そして、この内容は、ホロコーストの暗黒に一筋の光明を見出す「光よ、力を！」（『子供たちのための物語』所収）に発展してゆく。

厳冬の中、ナチの空爆で破壊されたワルシャワ・ゲットーで生き残った十四歳の少年と十三歳の少女は、飢えや暗闇と闘う。二人は、もし首尾よくゲットーを抜け出すことに成功したならば、若くても結婚しようと決めている。偶然に少年が廃墟の中で見つけたローソクとマッチでハヌカ祭を祝う。まだ希望の光が残されているのである。悪が完全に闇を支配したわけではないのだ。ゲットーの崩れかかった地下室で死を待つより、排水溝を伝わって一か八かの逃走を企てよう。そして、ワルシャワを抜け出し、同胞パルチザンのもとへ走ろう。人は、危険が大きいほど、異常な勇気が湧いてくるものである。二人は、善良な非ユダヤ人の援助や、ハヌカの夜の奇跡によって、ようやくパルチザンと合流し、さらに、救援組織ハガナの船に乗り、幾多の苦難を経て、イスラエルへ向かう。そして、約束の地で学び、やがて結婚するのである。振り返れば、あのローソクの光が二人を救ったのであり、奇跡の体験を子孫に伝えてゆきたい。こうした記憶や希望を、二人が後になってハヌカの夜、作家シンガーに語った、という形式である。

闇に一筋の光を求めて迫害に抵抗し、世界を修復しようとする意図は、『ゴーレム』にも顕著である。これは、マラマッドの『修理屋』のように、虚偽の告白や邪悪な法令がいつの日か無くなるよう願って、書かれた作品である。十六世紀ポーランドのゲットーに住んでいたユダヤ人たちに無実の罪が着せられ、虚偽の裁判が行なわれ、壊滅の危機が及んだ時、ゴーレムが登場して彼らを救う。

ゴーレムは漆喰でできた巨人であり、ユダヤ共同体において、神秘主義カバラーに通じた最も敬虔なラビが神の御名をその額に刻んだ時、始めて生命を吹き込まれ、危機に瀕したユダヤ人を救うという。ゴーレムは、シンガーの作品中、『ゴライの悪魔』や『奴隷』や『カフカの友人』などでも言及されている。

6　おわりに

そして、最後に取り上げる『ヘルムのあんぽんたん』には、ホロコーストを含む人間の歴史が印象的に要約されているのである。「実際、歴史とは人類のしでかした犯罪や愚行や不幸を記録したものに過ぎない」とギボンは『ローマ帝国衰亡史』において述べるが、その点、『ヘルムのあんぽんたん』は、過ちの多い人間史を風刺し、生きた歴史の教材となろう。原始社会より弱体した民主主義へ、さらに共産主義、社会主義、独裁体制を経て女性党が出現するまでを辿り、人間の未来を模索してゆく。

ここでは人間の歴史を見るシンガーの眼が鋭い。流行に押し流される民衆には主体性が欠如し、罪と罰が時と所によって変化し、有害な戦争が繰り返される。権力者は腐敗し、危機から国民の目をそらせようと、様々な操作を行ない、統制不能な状況に陥ってゆく。その例として、ヒトラーを連想させるフェイテルや、ドイツの末期を想像させる四面楚歌のヘルムが描写され、その中で女性の客観的な目が光る。

以下は『ヘルムのあんぽんたん』にも窺える史実である。「十四歳から六十歳までの者に第二次の労働登録を命ずる法令」(『ワルシャワ・ゲットー』)が施行され、「やつらはシナゴーグに火を放ち、これに使ったガソリンの代金を払えとユダヤ人評議会に命じ」(同上)、「誰もゲットーを離れることを許されない。離れれば死の刑罰が待っている」(同上)状況や、「やつらはひとが挨拶するとぶん殴る……挨拶しなければしないでぶん殴る」(同上)という理不尽さが繰り返される。そして、「カミュも示すとおり、革命には暗い面があり、多くの革命家は皆、自分を捨てきれないためいったん権力を握ると、自らもまたその権力を傘に、再び不正を合法化し、新たな革命を招くのである」(『暴力と人間』)。

物事を考えすぎて失策を繰り返すヘルムの愚者たちは、それでも最後まで希望を失わない。

この作品における最後の文章の意味は何か。愚者が増えてその歴史が繰り返されるという警告か。愚かさの認識が無く、自己中心的な人間を皮肉るものか。あるいは、それでも向上しようとする人間像か。それとも、勤勉が明るい未来への条件であり、世界修復のために各人が努力してゆこうという訴えか。

われわれはヘルムの人々を笑うことはできない。自らは賢く、他人を愚者であると考える時、危険が忍び込む。

引用・参考文献

Buber, Martin. ***Hasidism and Modern Man.*** New York: Horizon Press, 1958.

Gibbon, Edward. ***The Decline and Fall of the Roman Empire.*** New York: Harcourt, Brace and Company, 1960.

Malamud, Bernard. ***The Fixer.*** New York: Farrar, Straus and Giroux, 1966.

Matt, Daniel, Chanan. ***Zohar: The Book of Enlightenment.*** New Jersey. Paulist Press, 1983.

Sholem, Gershom ed. ***Zohar: The Book of Splendor.*** New York: Schocken Books, 1949.

Singer, Isaac Bashevis. ***Satan in Goray.*** New York: Noonday Press, 1955.

——. ***The Slave.*** New York: Farrar, Straus and Giroux, 1962.

——. ***Zlateh the Goat and Other Stories.*** New York: Harper & Row, 1966.

——. ***When Shlemiel Went to Warsaw.*** New York: Farrar, Straus and Giroux, 1968.

——. *A Friend of Kafka and Other Stories.* New York: Farrar, Straus and Giroux, 1970.

——. *Alone in the Wild Forest.* New York: Farrar, Straus and Giroux, 1971.

——. *The Fools of Chelm and Their History.* New York: Farrar, Straus and Giroux, 1973.

——. *The Golem.* New York: Farrar, Straus and Giroux, 1982.

——. *The Penitent.* New York: Farrar, Straus and Giroux, 1983.

——. *Stories for Children.* New York: Farrar, Straus and Giroux, 1984.

Steinsaltz, Adin. *The Tales of Rabbi Nachman of Bratslav.* London: Jason Aronson, 1993.

Zamir, Israel. *Journey to My Father, Isaac Bashevis Singer.* New York: Arcade Publishing, 1994.

河合隼雄『昔話の深層』福音館書店、一九七七年。

トゥルニエ、ポール『暴力と人間——強さを求める人間の心理』山口實訳：ヨルダン社、一九八〇年。

宮沢賢治『宮沢賢治童話全集』（一〜十二巻）岩崎書店、一九七八〜一九七九年。

リンゲルブルム、E.『ワルシャワ・ゲットー』大島かおり・入谷敏男訳、みすず書房、一九八二年。

第2章　アイザック・バシェヴィス・シンガーの「魔女」——精神の核を探して

1　精神の核

『熱情』に収められたアイザック・バシェヴィス・シンガーの「魔女」は、興味深い短編であるが、そこではホロコーストに至る歴史、ユダヤ教に対する変容、反ユダヤ主義の影響を受ける人間模様などが描かれている。

主人公マーク・メイトルズは、一見すると有能な人物である。諸言語を操り、乗馬やピアノが巧みであり、軍隊では勲章を授けられ、ワルシャワで指折りの数学教師であるという。ところが、シンガーの描写はわれわれのそうした第一印象を裏切る方向に向かってゆく。そのことを要約するならば、主人公マークは、実はどこにも所属感を見出すことのできない「異邦人」にほかならないのである。すなわち、家庭においては、妻レナとの間に齟齬を覚え、職場では数学に無関心な女生徒たちを相手にし、旧軍人仲間とは反ユダヤ主義のために疎遠であり、ユダヤ人が八百年間も暮らしてきたポーランドにおいても、ポーランド人との間に溝が埋まることがない。また、彼はゲットーで暮らすユダヤ人同胞や、共産主義を信奉するユダヤ人や、シオニズムに貢献する同胞にも共感することができない。さらに、彼は、同化し無神論者であった父が息子の宗教教育に無関心であったがために、ハシディズムにも、ユダヤ教全般にも関心がなく、かといって、キリスト教に改宗する気持ちもさらさら起こらない。彼が唯一信じるのは、「科学的に証明されたこと」であるという。

聖書においても創世記二十三章四節や出エジプト記二十二章二十一節など、ユダヤ人が他国において異邦人であると示唆する箇所は少なくないが、マークの場合、「異邦人」である根本原因は、彼が宇宙の創造主である神の信仰から離れていることである。たとえ彼が些事においては「有能」であるとしても、人生の根幹であるべき宗教、すなわち自己の精神の「核」となるべき箇所が、抜け落ちているのである。

2　空しい人生

精神の核が欠けていることに加えて、ポーランド人との間に埋まらない溝、ヒトラーが台頭してくる不安な社会情勢の中で長期の展望が立てにくい事実、精神的な支えを得るべき家庭において妻レナより精神的・肉体的な支援を少しも得られない日常が絡まってゆく。これらが「有能」であるかもしれないマークの根本的な「人間力」を弱めているのである。

それでは彼の妻レナを眺めてみよう。ヒトラーの脅威が迫り、ユダヤ人とポーランド人が疎遠である状況において、利己主義が社会に蔓延しているが、そのなかでもレナのエゴイズムは飛び抜けているという。三十七歳にして、甘やかされた子供のようなレナは、家事全般を女中に任せ切りであり、夫が教職に加えて教材執筆の副職に従事し、家計を維持しようと奮闘しているのを知りながら、それならば自分も仕事を得て夫を援助しようなどという気持ちを露ほども抱くことがない。そこで日々彼女が何をしているかといえば、厚化粧をして、ファッション雑誌を読み、ウィンドウショッピングを楽しみ、衣服を漁り、つまらない飾り物を買い込んでいる。

さらに、レナは夫の願いに反して、子供を持つことを嫌い、寝室での交わりはそっけなく、性そのものを「野蛮で不潔だわ」とのたまう。

こうしたレナが、夫を精神的にも物理的にも助けていないことは、火を見るより明らかである。彼女は単に夫の反対者であるのみでなく、明らかに夫の敵対者である。聖書の箴言二十一章九節や十九節には、「争いを好み、怒れる女性と暮らすより、屋根の片隅や荒野に住むほうがましである」と明言されているが、マークの抑圧された結婚生活もその状態に近いのではないか。

さて、レナは健康や体重を緊密に管理し、食事療法にも厳格であったが、その甲斐もなく膵臓癌に冒され、母親と二人の看護婦がそばについて自宅療養に努めるものの、はかなく死んでしまう。ところで、膵臓癌という彼女の死因は、示唆的であろう。すなわち、膵臓には、「悪感情」という意味も含まれており、そこでレナは自らの悪感情のたたりによって亡くなった、という解釈も成り立つのではないか。

彼女は死の床において、早死にする自分の運命を神秘能力によって悟っていたと言い、子供を持つことを嫌ったのも「孤児」を残したくなかったがためである、などとマークに言い訳をしている。世の中には、死期が迫っていることを知りながら最後まで生産的な努力を継続する人や、肉体の機能を喪失しても最後に残った口を活用して絵筆を取る人なども存在するが、レナはそのような積極的な生き方とは無縁であり、「食べられず廃棄される鶏肉」同様の空しい人生を送ったのである。

3　抑圧より熱情へ

いっぽう、マークは、レナが危篤状態であった間も教職を継続し、教材執筆を怠らなかったが、不出来な妻の死後、いかに変貌してゆくのであろうか。

まずマークは、ワルシャワに友達もなく、教師の同僚たちが弔問にも訪れず夏季休暇に散ってしまい、女中は帰郷してしまった状態で、独りアパートで電気もつけず悶々としている。科学的に証明された事柄のみを信奉していた彼であるが、ここに至って死者の霊魂の存在やその蘇りの可能性や交霊会の状況などに思いをはせている。さらに、孤独で暗闇にいる不安定な精神状態の中で、彼の関心は、不思議なことに、次第にベラという女生徒に傾いてゆくのである。

ベラは学校で最も貧しい家庭の娘であり、これまで二回も留年し卒業も危ぶまれるような不出来な女生徒であるばかりでなく、周囲から「奇形児」と呼ばれるほど、洗面器のように突き出た尻、曲がった鼻、出っ張った目を持つ、学校でも最低の不美人なのである。ただし、誰にもひとつくらい利点は与えられているものであり、ベラの場合、それは並外れた情熱である。その点でまさに、彼女は『熱情』と題されたこの短編集のヒロインにふさわしいと言えよう。

それにしても、非力なレナを妻に選んだことを「致命的な失敗だった」と認めているにもかかわらず、再びマークが学校で最も醜いベラという女生徒に惹かれてゆくことは、いったいなぜであろうか。おそらくその理由は、宗教心がなく、いたるところで異邦人であり、一見した「有能さ」とは裏腹に内面の支えが揺らいでいる彼は、自分より劣った存在と思えるレナやベラをそばに置くことによって、一種の安心を得ようとしているのではないか。

もちろん、これだけでは納得ゆく説明としては不十分であろうが、シンガーはさらにマークがベラに惹かれてゆく過程を、映像化も可能なほどの迫真の描写で描き、読者を説得しようと努めているのである。

まず、孤独で暗闇に潜み、ベラへの思いを募らせてゆくマークのところへ、まさに以心伝心であるかのように、ベラ本人より電話がかかってくるのである。そして、たとえ何年も継続してベラのクラスを担当したとはいえ、そのときマークが電話の声をすぐさまベラと識別できることは印象的である。マークの妻の不幸を知って電話をしてきたという彼女に対して、彼は思わず「僕の家に来ないかい？」と誘ってしまい、さらに「先生じゃなく、僕のことをマークと呼んだらどうだい？」と口走ってしまうのである。それに対して、「先生のご不幸を知って、どんなに昼夜苦しんだことでしょう」とベラは訴えるのである。

これはなんと気違いじみたことかと理性で反省しながらも、それとは裏腹にマークは、「空腹でくることだろうから、何か準備してあげなければ」などと心配している。やがて汗まみれで息を切らせて玄関口にたどり着いたベラは、きちんと黒衣を身にまとい、弔問の花束まで手にしているのである。そして、イディッシュ語で弔意を述べるベラに対して、マークは「花束になけなしの金を使ったに違いない、優しくしてやらねばな、だが高望みを抱かせては駄目だぞ」と自らに言い聞かせながらも、帽子を脱いだベラの髪に見とれ、彼女の目に女性がこの世に存在して以来抱き続けているような愛の光が映っているのにも心を奪われてしまう。

ベラの「奥様のご葬儀に参列したわ」という言葉を聞いて、「あいにくだが、気づかなくてごめんね」とわびるのである。そして、「学校を落第してこれからどうするんだい？」と尋ねるそばから、思わずマークは「結婚して、子供を持ったらどうだい？」と口走ってしまう。「子供は大好きよ。たとえ男やもめの子供でも、実母以上にうまく育てて見せるわ」と答えるベラにさらに押しかぶせるように、「自分の子供を持ったらどうだい？」と会話を畳み掛けてゆく。夜がしんしんと更けるなかで、ベラの目は燃えるように輝き、「先生のためなら私、何でもするわ。先生の御御足を洗い、その水を飲んでもいいわ」と訴えるのである。

そこで「何をしてもいいのなら、おまえの喉をかき切ってやろうか？」とマークは恐ろしい言葉を思わず口走る。実際、この時点に至ると、マークは自己統制が不能になってゆく。彼の膝や口や歯や鼻が、彼の意思とは無関係に勝手に動き始めるのである。すると、ベラの答えは、「いいわ、そうしたら血が噴き出すけど、私、血まみれの刃に口付けして見せるわ」と挑発するのである。マークは、ここで強い欲望に支配されてゆく。この「血と性欲との関連」は、概して日本人にとって理解しがたいところがあるが、短編「血」（『短い金曜日』所収）において、血まみれの牛が断末魔の苦しみにもだえる前で、性欲に狂う男女を描いたシンガーのことである。そこには、思わず読者を圧倒するような描写が盛り上がるのである。

「おまえは僕が妻帯者だったこと、知ってただろう？」と問うマークに対して、ベラは長く沈黙していたが、やがて「ええ、知ってたわ。でも私、魔法の呪いをかけたの。そこで、奥様は亡くなったのよ」と驚くべき答えをする。ベラは、真夜中に起き出し、レナの死を祈ったという。ここでベラがあたかも「魔女」のような存在であることが読者に判明するのである。

考えてみれば、あれほど健康に注意していたレナが、膵臓癌にかかり、しかもそれが驚くべき速度で他の器官へ転移していったことは、医師も首を傾げる不可思議な現象であった。シンガーの描く世界では、不条理の世に一本筋を通すかのように神の不可思議な導きがしばしば示唆されるが、また、そこには、たとえば、ポール・ジョンソン著『ユダヤ人の歴史』全体に流れる合理主義と神秘主義との相克も窺われるのである。

マークは、旧軍人として自己規律に厳しい一面を持つが、彼の内面における善と悪の葛藤、そして理性と狂気との戦いにおいて、ついに後者が優位を占め、「おまえは俺の愛人にでもなるか」とベラを誘う状況へと突き進んでゆくのである。

マークが最初に教室に入ってきたときから彼に惹かれ、その後は夜も昼も、絶えずマークを思わないときは「一分たりともなかったわ」と言うベラは、その限りない熱情を彼にぶつけてゆくのである。二人は、「離れがたくなった犬」のように、激しく絡み合う。

4　物語の果て

さて、果たしてマークとベラはこの後どうなるのであろうか？

まず、マークは四十代の始め、ベラはまだ二十歳である。二人の年齢差を考え、また、ベラの特質がその有り余る熱情であることを考慮し、さらに初回の交わりにおいてマークが早くも疲労困憊してしまったことを思うとき、彼は果たして精力的に彼女に対応してゆけるのであろうか？　これは誰しもが心配することであろう。

仕事の面においては、マークはおそらく教職を投げ出し、ベラがせかすままにアパートの家具さえも処分せず、着の身着のままでベラとともに異国へとさ迷い出るかもしれない。二人は、これからどこへ向かおうとも、貧しい生活を強いられることであろう。

ただし、流浪を重ね、新たな生活を築くことを繰り返してきたユダヤ人のことである。マークはその一人として、異国においても再び教職などを見出し、新生活を創造するであろうか。いっぽう、「あなたのためなら、何でもするわ」と明言するベラは、確かにいかなる場所においても、また、いかなる職業に就いても、野獣のようにたくましく生き延びてゆくであろう。マークを補助するために指一本動かそうとしなかったレナに比べて、ベラは二人の愛が続く限り、マークを懸命に助けることであろう。「私のようにあなたを愛せる者は、他に誰もいないわ」。この表現は、愛の物語を尽きることなく描き続けたシンガーの真骨頂である。

『熱情』という題名に関して述べるならば、レナとの結婚生活では精神的に抑制を続けざるを得なかったマークは、すでに示しているように、熱情をほとばしらせてベラとの生活を営むことであろう。ただし、上述したように、その熱情が枯渇しない限りにおいてではあるが。なお、最終場面では、朝日に照らされたベラが瞬間的に野獣より美女へと変貌することが示唆されている。

そうした精神面での解放に加え、これまで科学的に証明されたもののみに信頼を置いてきたマークに変化が生じ始めている。それは、科学性、合理性のみでは捉えきれない神秘の世界に対する思いである。たとえば、レナの死後、彼は自らに問う。彼女の霊魂は存在するのか？　また、ベラとの関係にも窺えるように、以心伝心のようなものは可能ではないか？　さらに、もしかしたら神のような存在は、あり得るのではないのか？　と。

5　おわりに

ヒトラーが台頭する世界を生きてゆくマークは、同様の世情で苦悶した『モスカット家』のエイサ・ヘッシェルをわれわれに連想させずにはおかない。マークは、熱情に身を浸し、神のような存在の片鱗を知覚したかもしれないが、いまだ精神の核を持たない彼には、さ迷えるユダヤ人の生き方が続くことであろう。いっぽう、昔のユダヤ人村落（シュテトル）には「馬鹿者ギンペル」のような聖なる愚者、そして十七世紀のユダヤ人共同体には『奴隷』のヤコブのような精神の核を持つ人間が存在したが、より現代に近づいてゆく場合、精神の核を得て、ユダヤ人の古い道を歩む人物の登場は、『ルブリンの魔術師』のヤシャか、『悔悟者』のシャピロまで待たねばならない。

引用・参考文献

Holy Bible. New King James Version. Nashville: Thomas Nelson, Inc., 1892.

Singer, Isaac Bashevis. *The Family Moskat.* New York: Farrar, Straus & Giroux, 1950.

——. *Gimpel the Fool and Other Stories.* New York: Farrar, Straus & Giroux, 1961.

——. *Short Friday and Other Stories.* New York: Farrar, Straus & Giroux, 1961.

——. *The Slave.* Middlesex: Penguin Books, 1962.

——. *Passions and Other Stories.* Middlesex: Penguin Books, 1970.

——. *An Isaac Bashevis Singer Reader* （*The Magician of Lublin* を含む）. New York: Farrar, Straus & Giroux, 1971.

——. *The Penitent.* New York: Farrar, Straus & Giroux, 1983.

ジョンソン、ポール『ユダヤ人の歴史』（上・下巻）石田友雄監修・阿川尚之ほか訳・徳間書店、一九九九年。
日本聖書教会『聖書』三省堂、一九五五年。

第3章　『メシュガー』の世界を辿って——ホロコーストを経た狂気と寛容

1　はじめに

自伝的な小説『アメリカで迷う』によれば、一九三〇年代、ヒトラーを逃れポーランドより渡米したアイザック・バシェヴィス・シンガーは、孤独と絶望の淵に追い込まれた時期があった。英語が一言も理解できず、途方に暮れ、一晩中さ迷う。言語表現を生命のごとく大切にする作家にとって、言語の使用が困難になった状況は、いかに悲惨なものであろうか。アメリカに対し、アメリカに呼んでくれた兄イスラエル・シンガーに対し、また、自らの性格に対し、怒りをまき散らす。ワルシャワではイディッシュ作家として羽振りがよかったのに、アメリカでは自己の根源を絶たれ、異邦人として生きてゆかねばならない。

事実、アメリカではすでにイディッシュ文学が衰退し、イディッシュ劇場も疲弊していた。そこで作家として、精神的・経済的な自立を図るためには、最初からやり直さなければならない。そのうえ、新旧両世界の狭間で宙ぶらりんになった状況で、ビザの取得に手間取り、ホロコーストの迫りくるポーランドへ今にも送還されてしまうのではないか。こうした苦境の中で、しばしば生命を絶つことすら考えたのである。

イディッシュ語で「狂って」を意味する『メシュガー』にも「迷う」という表現は、依然として現われるが、それでも語り手アーロンは、イディッシュ作家としてイディッシュ語新聞『フォワード』に作品を連載し、ラジオ番組で人生相談を担当し、再び新たな生命力を掻き立てている。ほぼ同時代を描いた『愛の迷路』で人生の意味を模索しながらも受け身になり逃避してしまうハーマンと比較すれば、アーロンは、紆余曲折を経た後で、最終場面ではより肯定的な人生を目指すと言えよう。

それでは、元来の題名が『迷える人々』であったという『メシュガー』の特質は何か。これは『愛の迷路』と同様、ホロコーストを背景とした愛の物語である。すなわち、一九五〇年代のニューヨークにおいて、ホロコースト生存者のミリアムが真の愛を求め、老人マックスを、そして中年の語り手アーロンを、三角関係、（ミリアムの夫を含めると）四角関係の中で愛している。ただし、『メシュガー』では、『愛の迷路』と異なり、ヒーローではなく、むしろヒロインが中心となって愛が展開されてゆく。

なぜ『メシュガー』へと題名が変更されたのであろうか。二百頁を超える作品の中で「メシュガー」という語は二回使用されているのみであるが、狂気を表わすその同意語は数多く見出される。

それでは狂気を醸し出す要素とは何か。それは、大量虐殺を引き起こしたヒトラーのホロコーストであり、スターリンのロシアである。ロシア、ポーランドなどから渡米する難民は、ニューヨークで小さなユダヤ社会を形成し、ある者はドイツから賠償金を得て暮らすが、家族や親族を多く失い、死と隣り合わせの体験を経て、錯乱状態に陥っている。そのうえ、彼らが住むニューヨークは、常に狂乱の巷にあり、夏は焦熱地獄と化し、長年そこに暮らしていても、彼らは孤独の群衆に過ぎない。そのため、ゲットーや収容所で命を絶つ代わりに、ようやく安全を得た時点で自殺する難民も少なくない。そこで、ヒロインのミリアムは、世界を「巨大な精神病棟」と見なし、次の言葉を吐く。「両親や弟は頭が混乱しているけど、私が最も狂っているわ……私がマックスを愛しているのは、完全に狂っている人だから。アーロンが好きなのは、狂っている人たちを書くからよ」。

『メシュガー』に描かれるのは、確かに狂った世界であるが、それでもそこに生きる人々は興味深い活動を展開している。主要人物以外でも、たとえば、マックスの妻プリヴァは、ラビや豪商の家系出身であり、かつてワルシャワのユダヤ文化を体現する容姿を備え、イディッシュ語、ロシア語、ポーランド語、ドイツ語、フランス語、ヘブライ語を話す。戦争で以前の夫や医師の息子や医学生の娘を失っているが、自らはかろうじて死を免れたのである。

また、ワルシャワでアーロンの愛人であったステファは、二人の娘をホロコーストで失ったレオンという人物と結婚している。夫レオンは心臓麻痺を患い、八十歳になろうとしているが、ニューヨークで事業を継続し、さらにマイアミでホテルを共同経営している。この夫婦はゆくゆくテルアビブに定住することになろう。

さらに、不動産や株で巨万の富を築いたハイムは、物質的な成功の後、イディッシュ文学やヘブライ文学の傑作をヨーロッパの諸言語に翻訳しようと企画し、また、優れたホロコースト難民の支援を行なうなど、文化面でも大いに寄与している。

処女作『ゴライの悪魔』以降、シンガーの世界には迫害を経て精神を病む人々が群がるが、彼らを常に特徴づけている言葉は、メシュガーではないか。戒律で守られていた社会が、ホロコーストを頂点とした迫害によってメシュガーの世界へと化しているのである。したがって、題名の『メシュガー』は、シンガーの世界を要約していると言えよう。

『メシュガー』において、ポーランドのユダヤ人町（シュテトル）出身の洗練された語り手シンガーは、ホロコーストと自伝的な要素を織り交ぜ、悲喜劇を交錯させ、神の皮肉な凝視に浮かび上がる人間の愚かさを織り込む。

2　語り手アーロンの特質とは

それでは、この作品の語り手アーロンはいかなる人物か。彼は、短編「冒険」（『熱情』所収）や長編『ショーシャ』など、シンガーの他作品にも登場する作者の分身であろう。

アーロンはシンガーと同様、一九三〇年代に渡米して以来、ヨーロッパに残った両親や弟をホロコーストで失っており、アメリカで孤独や絶望に追い込まれた後、ようやく新しい生活に歩み出そうとしている。『フォワード』にイディッシュ語作品を寄稿し、作品の英訳者を獲得して作家業を好転させ、そのうえ、ラジオや新聞で「身の上相談」を担当することになって、ナサニエル・ウェストの『ミス・ロンリーハーツ』のように、悩みを背負う奇妙な人々に出会う。その中に、マックスやその愛人ミリアムなど、ホロコースト生存者を数多く見出してゆくのである。

アーロン自身は、ヨーロッパの悲劇を辛うじて免れたが、ホロコースト生存者たちとニューヨークで何年も暮らし、悲劇を引き起こした人間の残酷さやそれを傍観していた人々の無関心を痛感している。四十代後半になっても依然二十代と同様、刹那的な心理を抱くことが多いが、これには、ホロコーストの影を帯びた彼の歴史観や人間観が関わっているのであろう。客観的にはかなり成功しているように見えても、『愛の迷路』のハーマンと同様、憂鬱な心理が抜けきらず、自己をあざける言動が目立つ。

いっぽう、性描写は、伝統的なイディッシュ文学に不在であるといわれるが、シンガーは、アーロンやマックスなどの異性体験を豊富に描写し、性をおおらかに肯定している。多数の異性との複雑な交わりは、モーセの十戒に照らせば、倫理問題となろうが、策略によって部下の妻を奪ったダビデ王の例もあり、現実には対応が微妙となってくるかもしれない。

これは、倦怠を何よりも嫌うシンガーが、「人生の醸し出す際限のない状況、特に男女関係の奇妙な絡み合いによって、創作力を高め」（『アメリカで迷う』）、読者に緊迫した展開を体験させ、人生の複雑さを感じさせようとする意図であろう。ちなみに、シンガーの世界では、緊迫した人生がしばしばゲームや賭けと見なされ、「チェスにも譬えられる」（「カフカの友人」）が、これは、多岐にわたる障害をかいくぐってきたユダヤ人に共通する人生観と言えようか。

いずれにせよ、『メシュガー』に見られる出口の見えにくい袋小路は、緊迫感を盛り上げている。複雑な要素を持つマックスやミリアムとの出会いは、アーロンを泥沼の人間関係へ陥れ、そこで悲喜劇が錯綜し、まれにみる愛の絡まりが展開される。さらに、窃盗や売春や殺人未遂が発生し、アーロンはあたかも蜘蛛の巣に絡め取られるように、貴重な執筆時間を奪われてゆく。実際、彼は、聖書に魅了されると言いながら、信仰やシオニズムに生きるわけでもなく、自殺行為と思える行為を繰り返している節もある。それでも「旧世界で散々苦労した挙句、新たなもめごとに巻き込まれたくないわ」と引きこもってしまう女性ステファと比べれば、いざこざに対応できる活力が残されていると言えよう。

またアーロンは、「作家である神」がこの世を創造したと想定し、しばしば人生の神秘を問う。それは、人の運命に影響を及ぼす悪霊、霊媒となる女性、オカルト現象などに関する問いである。

これによって彼は、創造神と論争し、ホロコーストを傍観した皮肉な神に「抗議の宗教」を唱え、独特の人生を形作っているのである。すなわち、アーロンは、そしてシンガーの描く主人公たちは、神が創造したこの世において、ホロコーストを頂点として人や動物が日々被っている虐待に関して抗議する。この瞬間にも病院や牢獄で苦しむ人々や、屠殺場や実験室で殺される動物の数は、計り知れない。なぜ神は沈黙しておられるのか。どこに神の慈悲は存在するのか。神は広大な宇宙にあまりに多くの世界や生物を創造されたので、その中で小惑星の微生物には関心を払えないと言うのであろうか。このような神を愛することは果たして可能か。

これでは、宇宙の創造主の叡智を認めることはできても、ホロコースト以後に神の慈悲を信じることは困難である。そこでシンガーの主人公は、しばしば神に対する「抗議の宗教」を唱え、創造主に抵抗する具体的な手段として、菜食主義を実践するのである。なぜならば、人がなすべきは、世界の悲惨をできるだけ軽減することであり、そのために、自他に、そして動物に、可能な限り痛みを与えないよう生きることであるから。

これに関して、さらに『メシュガー』の中では、ラビ・ナフマンに四回の言及がなされているが、それは過度の重圧のために創造の器が破壊され、神の聖なる光が世界に散らばっていったという有名なユダヤ教神秘主義思想（カバラー）を想起させるのに十分である。そこで人は、創造主や創造物に対して可能な限り善行を成すことによって、その散らばった光を集め、世界の修復に参加することが求められているのである。

これまで述べてきたアーロンの特徴には、シンガーの自伝的な要素が多く含まれていることが頷けよう。加えて、新聞に連載を抱えた彼の人生は、決して怠惰なものではありえない。年中休みなく働き、新たな主題や思い付きをしきりに書き留めている。実際、波乱万丈な連載内容と連動するかのように、彼の実人生にも予期せぬ出来事が付きまとう。それでも、兄イスラエル・シンガーが「執筆困難に陥った折にも、書き溜めた原稿を三ケ月分準備していた」（『アメリカで迷う』）と言うように、彼自身も病気の時でさえ締め切りを厳守し、それによって作家魂を堅持している。彼は、紆余曲折の多いこの世で、障害物の間を這い回りながら、何とか生きてゆくのである。

二つの大戦を生き抜いたアーロンは、ヒトラーによって失われた世界を描く遅咲きの作家であるが、これまで蓄積してきた原稿は、いくつもの箱に入るほど膨大である。偉大な作家にさえ欠点があり、彼も自作に対して反省を怠らないが、その発表作品は、しばしば読者に再生を促すような成果をもたらしているらしい。彼は、いかなる様相であれ、感情を正直に表現することが文学の使命であると考え、ジョイスやプルーストのような意識の流れではなく、聖書やホメロスの伝統に従い、「活動、緊迫、隠喩」を重視している。イスラエル作家アモス・オズは、矛盾に満ちた人間活動を綴る作家を、「歴史家であり預言者である」（『現代イスラエルの預言』）と呼ぶが、これはシンガーの自伝的な要素を帯びるアーロンにも当てはまるであろう。

加えて、アーロンには、父祖の宗教的な伝統から受け継いだ倫理観、紆余曲折の人生を掻い潜ってきた実際面、そして愛の迷路を綱渡りしてきたやりくり上手の面が窺えるが、さらに国際的な作家として交流を保つ彼は、上海でも有名である。作品に旧世界のユダヤ性を豊富に宿す彼の博学には、彼と宗教観の異なるラビでさえ尊敬を払い、彼の忠実な読者とならざるを得ない。こうした旺盛な作家活動を展開しながら、彼はホロコーストを生き延びた老人マックスや、あらゆる苦難をなめた若いミリアムと交わるのである。

3　愛の三角関係

振り返れば、これまでシンガーは、多様な愛の物語を紡いできた。たとえば、聖女と呼ばれたオールド・ミスは、いかにして女たらしの作家と恋に落ちたのか（「クロプシュトックよりの引用」、『羽の冠』所収)。薄幸の未亡人はいかにして悪魔を装った不運な男をひそかに受け入れたのか(「タイベリと悪魔」、『短い金曜日』所収)。また、利己的な妻を持つ以外に欠点がないと思われた高校教師は、いかにして魔女のごとき醜い女学生に魅了されたのか(「魔女」、『熱情』所収)。まさに愛を語らせては千軍万馬のシンガーであるが、その彼にとってもホロコーストを背景としたミリアム、マックス、アーロンの三角関係は新奇であろう。

ミリアムと交わるマックスは、アーロンよりほぼ三十歳も年長であり、したがって七十代の老人が二十代の娘を愛していることになる。しかも、マックスは、ホロコーストで自分の娘たちを失ったために、アーロンやミリアムを我が子のように見なしているという。彼は、ワルシャワ時代に(短編「サム・パルカとデイヴィッド・ヴィシュコーヴァ」の主人公のごとく)芸術家をひいきにし、大食漢で大酒飲みであり、女たらしでいかさま師であった。戦時中はユダヤ人として辛酸を嘗め尽くし、数々の奇跡を経て、上海まで逃れている。そして、戦後ニューヨークに移住すると、ホロコースト生存者の所持金も流用して株投機に走る。彼自身は心臓が弱く、妻プリヴァは神経症に苦しむが、それでも彼は三十年来の愛人マチルダに加えて大勢の女性関係を綱渡りしている。「個人癖はいかなる理論でも説明できない」(「あごひげ」、『羽の冠』所収)し、愛は理屈ではないし、しかもミリアムはありのままのマックスを愛していると言うが、いずれにせよ年齢差の大きい彼らの愛は神秘である。

強いて説明を求めるとすれば、ホロコースト体験によって「百年も生きたようだわ」と漏らす彼女は、未熟な若い男性には惹かれないのであろう。その点、マックスは、ミリアムにとって、イディッシュ文化を受け継ぎ、流浪やホロコーストや狂気を生き延びた人物であり、老いてなお魅力的なのであろう。また、彼女は不幸な家族関係を持つゆえに、マックスに愛人と父親という二つの役割を求めているようである。

そのいっぽうで、ミリアムは五十歳に近いイディッシュ作家アーロンに関して博士論文を書いており、彼に深い関心を寄せている。彼女はイディッシュ文学を愛し、ホロコーストによって失われたイディッシュ文化を慕う熱情を抱くために、マックスに、そしてさらにアーロンに、愛の対象を求めているのではないか。

4 ミリアムの特質とは

イディッシュ文学との関わりも含めてマックスやアーロンを愛するミリアムの人間像は、きわめて興味深い。大戦をはさんで複雑な愛の絡まりを体験し、精神的に成熟したためであろうか、自分に言い寄る若者たちよりもマックスのような年配者を好むという。過去に収容所で売春を強制され、さらに鞭で同胞を虐待する抑留者の監督（カポ）にされたり、ナチ将校の情婦にされたりしているが、泥沼でもがきながら、真の愛を求める態度を失っていない。信じがたいことに、真の愛に関しては、マックスの言葉によれば、「穢れなき処女」であるという。

まだ二十七歳である彼女は、きわめて多岐な体験を経ている。死を見つめて暮らしたホロコーストの期間中、異邦人にかくまってもらったこともあるが、その間に身体を犯され、その後は収容所でこの世の地獄を体験し、アーロンの創作素材となるような出来事を嘗め尽くしている。現在、自称作家である夫がいるが、彼は離婚を拒み、あらゆる難題を投げかけてくる。こうした状況でミリアムは死を望むこともあるが、反面、学問に励み、幸福な結婚をして子供を持つことにも憧れるのである。

実際、ミリアムは、悲惨な過去を経てきたにもかかわらず、否、むしろ逆境をばねに生きてきたためであろうか、驚くほど知的である。流暢なイディッシュ語を話し、英語に訛りがなく、ポーランド語やドイツ語の知識があり、ヘブライ語も学んでいる。九歳でイディッシュ文学を読み始め、重要作品をほぼ読破し、さらに、ユダヤ性に関する読書にも励んでいるという。「学問を探求する容貌」を持ち、イディッシュ語タイプライターを敏速に打つ彼女は、アーロンに関する博士論文を書き続け、それをエルサレムの大学に提出する企画を進めている。男装までしてラビ専門学校（イェシヴァ）で学問を求めたイェンテル（「愛のイェンテル」、『短い金曜日』所収）と似た学者肌の女性である。五十歳に近づいたアーロンと文学や哲学などを対等に討論でき、作品構成に関して彼に的確な助言すら与える多才ぶりである。加えて、ある子どもを生後四週目より母親代わりに育てており、実母以上にその子の要求を理解し、子育ての能力を十分に発揮している。戦争がなければ、立派な母親になっていたことであろう。

5　アーロンとミリアムの関係

アーロンは、ホロコーストをはさむミリアムのすさまじい過去を知り、（短編「冒険」の場合のように）肉体的に反応して吐き気を催すこともあるが、それでも未曽有の悲劇を経てきた彼女の「ユダヤ人、女性、一人の人間としての」運命に同情してしまう。「ユダヤ人、女性、一人の人間としての」という言葉には、歴史を振り返るものの見方をするアーロンらしい見解が含まれているのであろう。それはたとえば、地球の歴史を刻む絶壁を縫って流れるハドソン川に畏敬の念を覚え、現代人が示す特質の起源を文明の黎明期に求め、偶像崇拝者を古より変わらず存在していると見なす態度である。

そこで、歴史を振り返るアーロンに対してミリアムは、いかに悲惨であろうとも、自らの過去を偽ることをしないのである。自らのホロコースト体験を含めて善悪の混交を正直に吐露し、「家系にはラビがいて」、「神を信じ」、「ユダヤ人だったら、宇宙に道徳は皆無で、人は勝手気ままに振る舞えるなんて思ったらいけないわ」と語る。このような彼女を、拙速に黒か白かと決め付けることはできないであろう。

そもそもホロコーストの苦難を経た人を、誰が簡単に裁くことが可能であろうか。ミリアムの立場であったならば、誰でも生き抜くために似たようなことをしたのではないか。そこで、アーロンは過去がいかなるものであったにせよ、ミリアムの混交をあるがままに受け入れようと決意するのである。その決定に至る過程で、アーロンは、ミリアムの戦争を経た成熟度や、他人への洞察力や、文学への理解度に惹かれ、また、苦難を経てもなお真の愛や真の文学を求めようとするミリアムの態度に感銘を受けたのであろう。

いっぽう、ミリアムにとって作家アーロンは、目の前で崩壊した世界を創作で蘇らせてくれる貴重な存在である。彼は、周囲にたむろする自称作家や芸術家たちとは格段に異なる。その大好きな作家を有名にすることが、彼女の今後の目標であるという。

この二人に窺えるように、また、たとえば、かつてショレム・アレイヘムの場合に見られたように、イディッシュ作家と読者との関係は密であり、両者間には好ましい緊張関係が存在している。そこで、マックスの死後、アーロンと結婚して歩むであろうミリアムの将来は、いかに進展するであろうか。また、愛の諸相を描き続けるアーロンにとって、ミリアムとの生活は、作家として新たな出発をもたらすであろうか。

二人は結婚以前に、イスラエルが紆余曲折を経て一九四八年に誕生して間もなく、周囲を敵に囲まれたその小国を、他の友人たちとともに訪れている。そこでは戦争が絶えず、ホロコースト以後でさえユダヤ人憎悪が減ることがなく、メア・シャリーム地区の超正統派を除けば、宗教的な生活を営む人は少数であり、イスラエルのユダヤ人も多くの政党に分裂している。

それでも、イスラエルの太陽は、ポーランドやアメリカの場合とは異なって黄金に輝き、懺悔の日（ヨム・キプール）の夕べを連想させ、聖書に描かれた海の上には聖なる雰囲気が漂っている。また、テルアビブではニューヨークと異なり、作家が世に知られずに終わることはない。そこで人々は漏らさず出版物を読んでくれるからである。聖書と文学の宝庫イスラエルにおいて、アーロンとミリアムはある覚醒を体験したようであるが、それが二人の今後に反映されることを期待したい。

6　おわりに

『メシュガー』は、ミリアムに「神を信じる」と言わせているが、『アメリカで迷う』と同様、父祖の信仰に到達できない物語である。

その状況でアーロンが愛の諸相を描き続ける意味は何か。おそらく結論を導き出すことは困難であろうが、それでも多様な愛を描くことには意味がある。人は愛なしにはローソクの炎のように消えてしまうであろうから。愛があれば、いかなる形であれ、そこには熱情がほとばしり、それは生きている証となる。

また、ホロコーストを経てアーロンとミリアムが愛を育む状態に達したことに意味がある。結婚した二人は、イディッシュ文化や文学を存続させてゆくことに努めるであろう。ミリアムは卓越した記憶力を持つというが、アーロンの旧世界に関する記憶力も驚くべきものである。二人は、流浪の歴史を刻むイディッシュ語に居心地の良さを感じる「最後の世代」となるかもしれないが、それでもホロコースト以後に消滅するかもしれないイディッシュ文化を何とか保持してゆくことを望む。宇宙のどこかに「すべてを記録する保管所」が存在しているのではないか。また、「宇宙が生命体であるならば、その枠組みにおいて死は存在しない」、「死は一つの領域より別の領域への移動に過ぎない」と彼らは言う。

イディッシュ文化は、マックス、アーロン、ミリアムを経て、さらに未来の子供たちへと継承されてゆくかもしれない。もしアーロンとミリアムに子供が生まれたならば、その子にマックスと名付けようと望むことは、世代を超えて記憶を存続させてゆこうとする意思の表明である。

引用・参考文献

Keats, Victo. *Chess, Jews and History.* Oxford: Oxford Academia Publishers, 1994.

Singer, Isaac Bashevis. *Satan in Goray.* New York: Farrar, Straus and Giroux, 1955.

——. *Gimpel the Fool and Other Stories.* New York: Farrar, Straus and Giroux, 1957.

——. *Short Friday.* New York: Farrar, Straus and Giroux, 1964.

——. *Enemies – A Love Story.* New York: Farrar, Straus and Giroux, 1972.

——. *A Friend of Kafka and Other Stories.* Middlesex: Penguin Books, 1972.

——. *A Crown of Feathers and Other Stories.* New York: Farrar, Straus and Giroux, 1973.

——. *Passions and Other Stories.* Middlesex: Penguin Books, 1975.

——. *A Young Man in Search of Love.* New York: Doubleday & Company, 1978.

——. *Shosha.* New York; Fawcett Crest, 1978.

――: *Old Love.* New York: Farrar, Straus and Giroux, 1979.
――: *Lost in America.* New York: Doubleday & Company, 1981.
――: *Meshugah.* New York: A Plume Book, 1994.
Steinsaltz, Adin. *The Tales of Rabbi Nachman of Bratslav.* New Jersey: Jason Aronson, 1979.
West Nathanael. *The Collected Works of Nathanael West.* Middlesex: Penguin Books, 1975.
オズ、アモス『現代イスラエルの預言』千本健一郎訳　晶文社、一九九八年。

●生と死

第4章　ソール・ベローの『ラヴェルスタイン』――死者よりの贈物

1　はじめに

多忙な現代人には、短時間で手軽に読める短編が適しているという。それはひとつの考えであろう。しかし、読み方によっては、長編も相応しいと言えないだろうか。たとえば、長い小説を章ごとに区切って読み、その中で要約や感想をまとめ、印象深い表現を筆写してゆく。これならば楽しい継続が可能であろうし、そこでは、細切れで無連関な内容を摂取するのではなく、忙中に一本の線を通し、連続性や精神の安定も得られるであろう。

そこで、『オーギー・マーチの冒険』、『雨の王ヘンダソン』、『ハーツォグ』など、ソール・ベローの大作を章ごとに区切って読めば、それは苦痛ではなく、人生の快楽ともなろうか。この点、八十歳を過ぎていたベローが円熟した文体によって長編『ラヴェルスタイン』を著した事実は快挙であり、それは読者に上記の読書法を味わうことに加えて、この最後の作品よりベローの全体像を鳥瞰する機会をも与えてくれよう。

2　死者への追憶

まず、この最終作『ラヴェルスタイン』では、死者への追憶がつづられる。それは、『フンボルトの贈物』、『ベラローザ・コネクション』、短編「銀の皿」などと共通する要素である。

追憶の目的は、ユダヤ教の伝統とも関わり、一個人が生きた記録をこの世にとどめることである。必ずしも来世を信じていないユダヤ人にとって、死者は、親族や友人・知人などの記憶の中に、また、故人の業績や後世に残るその影響の中に、生き続けてゆく。たとえば、『雨の王ヘンダソン』の主人公は言う。「死者は俺たちの記憶を駆り立てるのだ。それは死者が不滅である源泉さ。俺たちの内面においてね」と。ヘンダソンは、非ユダヤ人として設定されているが、彼にはユダヤ文学の伝統的な人物、不運な人（シュレミール）のイメージが付与されており、ここにはユダヤ的な死生観が読み取れるのではないか。

ただし、『ラヴェルスタイン』の場合は、独自のホモセクシャルな性向の結果、エイズで世を去った知的巨人を回想するのみではない。それとともに、彼と生前にかなり年老いてから親交を結んだ語り手チックの人生を、その周縁に彩るのである。ちなみに、年老いてからの親交に関して、ベローは『エルサレム紀行』においても、六十代で出会ったホロコースト生存者ジョン・アワーバッハに関して、印象的な言葉を残している。

おそらくベローと同様、人生の終幕が近づいてきたことを感じるチックは、ラヴェルスタインを愛情込めて回想しながら、同時に、若い妻を得て老いと戦う自らの人生を物語り、さらに死後の世界や魂の存在という、作者の全作品に流れる独特の探求を続けてゆく。それはH・G・ウェルズとの交わりを語るサムラー老人（『サムラー氏の惑星』）や、少し酔った状態で過去を回想するモズビー（「モズビーの思い出」）の態度を、われわれに連想させよう。

3　自伝的な要素

したがって、『ラヴェルスタイン』にはベローの小説の特質である自伝的な要素が強い。この点に関して、ベローは『ソール・ベローとの対話』においていろいろ語っている。「小説とは他者と関わるものであり、共感を込めて他者の人生へ傾倒することがなければ、すべてを失う」。「作家が他者の人生を書きつくした場合、自らを用いていけない理由がどこにあろうか」。「作家がすべきことは、その想像力を解放し、生きるように書き、書くように生きることである」。「生きることを、過ちを修正する過程と見なす」。「ホロコーストなど、自らに取り込めず、離れ去ってしまった物事が多々あった」。「そこで、ある重要な欲求を満たすべく、長命を得てきたのである」と。

ベローと並ぶノーベル賞作家であるアイザック・バシェヴィス・シンガーも短編「冒険」の女性人物に「作品を読ませていただいて、あなたのことがずいぶん分かりました」と語らせているように、多くの自伝的作品を著してきた。それは、『神を求める少年』、『愛を求める若者』、『うれしい一日』、『父の調停裁判所』、『ショーシャ』、『メシュガー』などである。それでも彼は『アメリカで迷う』の序文において言う。「実際、いかなる人生を語ろうとしても無理が伴う。それは文学の力量を超えてしまう……本作品も真実を背景にして設定された創作に過ぎないのだ」と。いかなる人生も捉えきれるものではない、というシンガーの言葉は、『ラヴェルスタイン』を語るチックの気持ちと通じ合うものがあるだろう。せめて「人生は全体として捉えられるものではないが、語りの中に何らかの輝ける真実が窺えよう」（『アメリカの新しい小説』）と言えるのであれば、幸いである。

4　チックやラヴェルスタインの特質

前述したように、語り手チックは、ラヴェルスタインを思う際、愛を除外できない。実際、ラヴェルスタインには奇癖があり、彼は敵の多い人物であったが、チックにとっては、すばらしい魅力があった。それでは、このように感じる語り手の、また、ラヴェルスタインの、特質とは何か。

まず、いっぽうのチックは、作家として、人間の曖昧さを容認し、多様な人々と交際する。ベローは「長命を授かり、多くの卓越した人々と出会い、彼らを賞賛してきたのだ」（『積もりつもって』）と言うが、チックの場合、ラヴェルスタインもその一人である。ベローは『エルサレム紀行』で、「大きな意味で秩序を持ち、世界に線引きをして、つじつまを合わせる人々に常に惹かれてきた」と言う。そして、チックは、「人々の滑稽な面に注目すると、彼らを好きになれると思う」と語る。

確かに、ひとつは、共通するユーモア感覚を通して、チックとラヴェルスタインは親密になるのである。作品冒頭で「人類に益をもたらしたような人は、面白く滑稽である」と言うが、ラヴェルスタインはまさにユダヤ人のコメディアンである。彼はコメディを好み、駄洒落を飛ばし、台所の巨大なコーヒー沸かし器を愛用している。いっぽう、高価な衣服やネクタイを着用しても、飲食物ですぐにそれらを汚してしまう。また、彼の食事作法は乱雑であり、食卓の周囲には常に食べ物が散らかってゆく有様である。加えて、モーツァルトやロッシーニや十八世紀オペラを好む彼は、「音楽なしに人生は吸収できない」とのたまい、各国よりバロック音楽のCDカタログを集め、高価なハイファイセットで精神レベルを上げるかのように大音響で音楽に浸るが、階下や階上に住む隣人たちは、それをひたすら耐え忍ぶ。

ラヴェルスタインは、政治哲学の巨匠である。雄大な規模の知的生活を営み、国内外の友人や知人を通じて膨大な情報を収集しており、その心には数百の主題が組み込まれているという。心に数百の主題を抱え、アンテナを張って、関連する情報を幅広く吸収しているのであろう。彼は、論争を好み、聖書注釈タルムードのごとく、物事をさまざまな局面より執拗に考え続ける。それによって何を求めているのかといえば、文明や人間の偉大さを擁護し、倦怠を拒否し、気持ちの高揚を図り、歴史や政治の流れを古代より把握し、それを現状に当てはめることである。

彼は、家族の中では不遇であるらしいが、教師としては恵まれている。時間的に不規則な生活を営み、講義準備で深夜まで起きているが、三十年にわたって優れた弟子を育て、モーセのように彼らを約束の地へと導く。現在では要職に就いた彼らに、長年にわたり慕われている。

自らの家族と疎遠である代わりに、学生たちを親身に考えている様子である。『同胞との生活』において論じられるように、ユダヤ人は逆境を生き延びるために家族を大切にしてきた。困窮した親族を比較的余裕のある者が助け、異国に旅した場合、たとえ遠縁の者からであろうと援助を当然期待する。両親がロシアより渡米したベローにも、こうした相互援助精神がしみこんでいたことであろう。短編「古い道」、『オーギー・マーチの冒険』、『ハーツォグ』などには、とりわけ家族の絆が良く描かれている。ところが、ラヴェルスタインに至ると、その親密さは乏しくなり、代わりに彼は、指導する学生たちと擬似親子関係を築くことで、拡大家族を求めているのではないかと思われる。

その拡大家族に含まれるチックとラヴェルスタインは、同じ区画に住み、親しく日常的に交わり、相手を傷つけることなしに率直に語り合える仲である。チックは、ラヴェルスタインの演習にしばしば招かれ、院生たちと文学論を戦わせている。

ただし、こうした交わりの過程で、チックは、ラヴェルスタインが他人から物を借り、その借り物を質に預けるという奇癖を持つことには辟易し、そこでラヴェルスタインに講義ノートを元にした著書の執筆を勧める。その勧めに乗ってラヴェルスタインは、アメリカにおいて科学技術は発展しているものの文芸は疲弊の瀬戸際にある、という状況を論理的に立証した本を書き、なんとそれが大当たりするのである。そこで、前年度まで大借金を抱えていたラヴェルスタインは、一転して大統領が泊まるような最高級ホテルを楽しめる身分になる。出版を勧めて、それを援助してくれたチックにはいたく感謝し、彼に伝記の執筆を依頼するという次第である。

5　老いと死

ところが、なぜかチックはなかなかその伝記執筆に取り掛かることができない。老いとともに「時間の経過が早く感じられ」、死との競り合いになってゆくが、まだ「果たすべき仕事があると思えば死ぬわけにはいかない」。「未完の仕事を持つことが寿命を延ばすのだ」とチックは言う。

『雨の王ヘンダソン』や『ハーツォグ』を含めて、ベローのこれまでの小説は、主人公が生きることを模索し続ける姿で終わっている。それは、マーク・ハリスが指摘するように、『ジョンソン伝』を完成し脱力してしまったボズウェルを例に出し、仕事を完全に終えてしまう危険性を、ベローが認識しているからである。生き続けることと書き続けることが、ベローの場合は一致していたようである。

ベローは、執筆活動を長期にわたって継続するために、心身ともに活発な状態で長命を維持できるよう戦略を練るのである。彼が結婚を繰り返し、そのたびに新たな人生を迎えようとすることもそのひとつであろう。文化人類学者デズモンド・モリスは、「七十代男性の七割は、まだ性的に活発である」と指摘しているが、語り手チックはまさに七十代でラヴェルスタインの学生であった若き美しい妻ロザモンドを得るのである。

ちなみに、東欧のユダヤ人町（シュテトル）においては、晩婚や長命を望むユダヤ人の伝統が存在した。「あらゆる分野において、人は生ある限り積極的に参加することを予期し、奮闘する。人生は恩恵が増加してゆく過程と見なされる。年齢を重ねるほど、人として成熟し、円熟し、成長する。老いた夫婦はともに楽しみ、助け合うことを期待する。老いは良きものであり、老いは美しい。八十歳の男性が七十五歳の女性と結ばれれば、文字通り良縁であるよう期待するのである」(『同胞との生活』)。確かに、人生は「生前の暗黒と、死後の暗黒の間に宿るつかの間の光明」に過ぎない、と『ラヴェルスタイン』に指摘されていても、人々は、モーセを真似て、百二十歳まで生きながらえることを望むのである。ベローは、「歳を経ることのひとつの収穫は、まろやかになることであろう」(『ソール・ベローとの対話』)と述懐している。

伝記を執筆するというラヴェルスタインとの約束のためにも、また、老いた夫を波間に浮かべながら、長寿を祈る歌を口ずさむ愛らしい妻ロザモンドのためにも、チックは長生きしなければならない。ベロー自身、ヘンリー・デイヴィッド・ソロー、D．H．ロレンス、テオドール・ヘルツルなど四十四歳で凝縮された人生を終えた人々よりずっと長い命を授かり、充実した業績を残すのである。

比較として、ヘミングウェイやサルトルの激烈な生き方は、若者に訴えるかもしれないが、長寿を目指すためには激し過ぎて不適当であるかもしれない。ベローは、ヘミングウェイを『宙ぶらりんの男』や『雨の王ヘンダソン』で、また、サルトルを『エルサレム紀行』で、それぞれ批判していることに注目したい。

作中で自らも食中毒によって死の危機に見舞われるチックには、ラヴェルスタインを含めて死者に関する記憶がまつわりつくことになる。これは、差別と迫害の歴史を経てきたユダヤ人の子孫として、また、ホロコーストの記憶を抱く者として、当然に想像されるのみでなく、作者自身の体験とも絡んでいるのであろう。子供時代に病気で入院し、そこで多くの子供たちの死を目撃したベローにとって、「幼少より死は大変馴染み深いものであった」（『積もりつもって』）という。彼には、「生存者」としての意識が根本に宿っているというが、それは『宙ぶらりんの男』や『ハーツォグ』にも見られる表現である。

そこで、『宙ぶらりんの男』においてジョーゼフは言う。「生き続けることは期待することであり、死は選択の放棄である。選択が狭まるほど、死に近づいてゆく」。『犠牲者』においてシュロスバーグ老人は語る。「わしが思うことに限界があるだろうか。

だが、わしは次の瞬間、この場で死ぬこともあるかも知れん。わしには限界があるが、十分自分になりきらねばならん。死ぬ運命にある人間だがね。最初からそういう考えさ。わしは三人でも四人でもなく、生まれは一度、死ぬのも一度だ。二人分に、人間以上になりたいかね。それは人間になることが分かっとらんからだろうね」。

また、『フンボルトの贈物』は、「死を真の主題とした滑稽な内容の本である」とベローは『ソール・ベローとの対話』で述べ、ホロコーストを背景とした『ベラローザ・コネクション』においては死と競り合うような緊迫感を漂わせている。『ソール・ベローとの対話』において、「幼い頃より死を熟知しており」、「生きることはちょっとした奇跡であり」、「生きることに伴う義務を感じた」というベローは、「死は、人がいかに生きるかに関して無意識に影響を及ぼす」と、深く染み渡る言葉を吐露している。これは、ホロコーストを生き延びたヴィクトール・フランクルが『夜と霧』で説く「死の床に横たわって生を眺める」姿勢を連想させるものである。

「ラヴェルスタインは来世など信じていなかった……あの世の両親に会えると想像してい

るのは僕のほうだ」。このようにチックは、ラヴェルスタインと異なり、来世をしばしば思う。彼は、「墓場が最終であるとは認めがたいのである」。

いっぽう、ラヴェルスタインは、死を間近かに控えても友人と冗談を交わし、見舞い客を受け入れ、彼らの人生相談さえも引き受けている。そして、エイズで世を去る前に、彼はユダヤ人のことをしきりと話題にするのである。ユダヤ人は、正義を探求する姿勢を含めてその歴史を凝視すべきである。ユダヤ人の根本を否定することは不可能である、と言う。作品中にホロコーストへの言及が多いが、ラヴェルスタインは死に瀕していたとき、ホロコーストの犠牲者たちのことを頭に浮かべていたのではないか。彼は、この世を去った後でも、モーセのように、長く人の記憶に残る人物である。彼の魂は、どこかに存在し続け、人生の叡智をささやき続けているのかもしれない。

残されたチックは、混沌に満ちた人生において秩序を求めている。何回かの結婚に失敗し、その中で作家業を継続している。三百年の樹齢を誇る木々を含む自然に恵まれたニューハンプシャーに居を構えることも、社会の混沌を避けて秩序を求める一環である。『雨の王ヘンダソン』や『ハーツォグ』において試みられ、特に『サムラー氏の惑星』に至って顕著となり、チックも言及する「人の魂を正しく秩序付けること」は、ベローの重要な関心事である。

6　ヴェラとロザモンド

チックとヴェラは、十二年間の結婚生活を送った。彼女は、夫への愛より専門の物理学に夢中であり、多くの買い物を店より自宅まで運ばせ、料理やその後始末は夫に任せているらしい。一日十四時間、自室に閉じこもり、専門書と格闘して過ごし、専門領域においては、夫と同格かそれ以上に評価されているという。学会出張に出かけても、連絡先すら夫に知らせず、二人は行動をともにしない夫婦である。チックは、ヴェラの前にも複数の結婚暦を持つが、再びここでも家事をないがしろにして自らの仕事に忙殺される妻との結婚に破れている。兄の葬儀を終え、末期癌を患う別の兄と最後の日を過ごすが、その後、ヴェラと別居し、兄たちを二人とも亡くした後で、ヴェラより離婚を突きつけられる。

ところで、こうした結婚の描写は、あくまでチックより眺めた場合であり、ヴェラにも言い分はあろう。これまでのベローの作品には、アイヴァ（『宙ぶらりんの男』）、メアリ（『犠牲者』）、リリー（『雨の王ヘンダソン』）、ラモーナ（『ハーツォグ』）などを除けば、夫を苦しめる妻の描写が多いが、振り返れば、夫の側にもいろいろと問題はなかったか。別の見方として、ヴェラのような素敵な女性と一緒ならば、たとえ一ヶ月の結婚生活でも幸福である、とチックの友人は言う。また、彼女の母語は英語ではないが、それでいて国際学会で顕著な成果を上げているのであるから、大変な努力家なのであろう。

いっぽう、ロザモンドの場合は、主人公を苦しめる女性ではなく、献身的である。彼女はかつてラヴェルスタインに五年にわたって教えを受けた学生であり、ギリシャ語が得意であるという。休暇に出かけたカリブの浜辺でロブスターが虐待されている光景に耐えられないほど優しい性格である。食中毒で死の危機に陥った夫のために最高の医者を探し出し、献身的な看護で夫の命を救う。

これまでは主人公の側にもいろいろ問題が多く、結婚生活が破綻してきたのに、ロザモンドの場合は、どうしてうまく展開するのであろうか。上記の「まろやかさ」とも関係するのであろうか。ロザモンドはチックの作家としての資質を尊敬し、何事につけても話題の豊富な彼との人生を、できるだけ長く楽しむことが目標である。その上、博士号も取得しているのは、（夫亡き後の）自活の道も考えてのことであろう。

いずれにせよ、アメリカを始めとした現代社会における離婚増加には、将来何らかの修正が見られるのであろうか。恨み言葉や流される涙が減少し、家族の忍耐や社会の安定が増してゆくのであろうか。

十九世紀ロシアのユダヤ人強制集住地域の生活を描くショレム・アレイヘムの牛乳屋テヴィエの物語を振り返るならば、おそらく互いに顔を見ることもなく、結婚仲介人や周囲の意向によって一緒になったであろうテヴィエとその妻ゴールディは、生活の苦労を分かち合ったただいぶ後になって、夫婦としての愛を確認しあっている。これは、成熟した夫婦の心に残る場面である。考えてみれば、結婚仲介人はその道の専門家であり、さらに周囲の眼にかなった最適と思われる男女が一緒になり、聖書に語られている民族の繁栄に寄与するのであれば、それはたとえ「古い道」であっても、それなりに有益な面があったのだと思われる。

アイザック・バシェヴィス・シンガーの場合は、激動の歴史や政治思想が絡んで最初の妻と別れ、その息子とは二十年間も会わなかったというが、二番目の献身的な妻アルマとは終生をともにした。

7　おわりに

『ラヴェルスタイン』は、ベローよりの最後の贈物である。「芸術は、加速する人生の混沌より身を守るひとつの術である」と。そこで、死者たちは未解決の諸問題を現代に訴え続ける。われわれは、死者たちのささやく声を聞きながら、現代の変革に参与してゆく。こうした誘いが、ラヴェルスタインが来世よりわれわれに与えてくれる贈物である。

ラヴェルスタインが年老いてからユダヤ性に回帰してゆくことが興味深いが、年老いて、あるいは極限状況に置かれたとき、その人の本質がにじみ出てくるのであろう。われわれ日本人にこれを当てはめると、やはり日本性に回帰してゆくことになるのであろうか。日本性とは、たとえば、『古事記』や『日本書紀』、新渡戸稲造の『武士道』や、岡倉天心の『茶の本』や、ラフカディオ・ハーンなどの著作に著された精神的な内容や、芸術・武芸などを含むのであろうか。

神聖と獣性、笑いと慄きが混交した『ラヴェルスタイン』を読むことは、今後の社会を考える意味でも、意義があると言えよう。

引用・参考文献

Bellow, Saul. *Dangling Man.* New York: The Vanguard Press, 1944.

——.*The Victim.* New York: The Vanguard Press, 1947.

——.*Henderson the Rain King,* New York: The Viking Press, 1959.

——.*To Jerusalem and Back.* New York: The Viking Press, 1994.

——.*It All Adds Up.* New York: The Viking Press, 1994.

——.*Ravelstein.* Middlesex: Penguin Books, 2000.

Cronin, Gloria L. & Siegel, Ben eds. *Conversations with Saul Bellow.* Jackson: UP of Mississippi, 1994.

Harris, Mark. *Saul Bellow, Drumlin Woodchuck.* Athens: The University of Georgia Press, 1980.

Morris, Desmond. *The Naked Ape.* New York: Dell Publishing Co., 1967.

Singer, Isaac Bashevis. *Passions and Other Stories.* Middlesex: Penguin Books, 1975.

——. *Lost in America.* New York: Doubleday & Company, 1981.

Weinberg, Helen A. *The New Novel in America: Kafkan Mode in Contemporary Fiction.* Ithaca: Cornell UP, 1970.

Zborowski, Mark & Herzog, Elizabeth. *Life is with People: The Culture of the Shtetl.* New York: Schocken Books, 1995.

第5章　ソール・ベローの『ラヴェルスタイン』――生と死のかなたに

1　はじめに

『ラヴェルスタイン』は、ベロー最後の長編であり、作中に実在の人物をいろいろ織り込んだと言われている。その中で七十代の語り手チックは、ベロー自身を表しているのであろう。

チックは、十二年間連れ添った妻ヴェラと離婚し、二人の兄を相次いで亡くし、親しく交わってきたラヴェルスタインをも失う。しかも、チック自身も食中毒で死にかけているのである。

体力や気力が衰える七十代でこれだけの不幸が重なれば、人生が崩れてしまうかもしれない。

しかし、いっぽう、プラスの要素として、チックは、ラヴェルスタインの指導を受けた大学院生のロザマンドと結婚しているのである。七十代でこうした新しい人生に歩み出すとは、実に驚くべきことではないか。

ただし、動物や人間の行動を探るデズモンド・モリスの『裸の猿』には、「七十代の男性でも性が盛んなものは、七十%もいる」などと書かれてある。

ベローの作品を振り返ると、『雨の王ヘンダソン』は、他の人々が定年退職を迎える年齢になって、アフリカの旅より戻り、医師を目指し、医学校に入ろうとしている。また、『サムラー氏の惑星』で七十代の老主人公は、イスラエルでの六日戦争の取材から帰国するとすぐに、時差ぼけの影響はないかのように、図書館でいつものようにマイクロ・フィルムを眺めている。さらに、ベロー自身も、『エルサレム紀行』において、「年齢を考えると、僕は好調だ」と述べているのである。

このように老いても依然として精力的なベローは、まさに読者に大きな元気を与えてくれる作家であると言えよう。

2　チックとラヴェルスタインの関係

ところで、語り手のチックという呼び名に注目したい。ラヴェルスタインやロザマンドは、きちんとした名前であるという印象を受けるが、チックはどうであろうか。

チックと聞くと、われわれは「ひよこ」などを連想してしまうのではないか。チックは作家であり、哲学者のラヴェルスタインより年配であるが、それでもラヴェルスタインは、チックと呼んでおり、チック以外の呼び名は見当たらない。たとえば、『宙ぶらりんの男』はジョウゼフとしか名前が分からず、『ベラローザ・コネクション』の語り手の名前は不詳であり、サムラー氏だけにミスターが付けられていることと同様、これは不思議である。

チックが従事している作家業とは、企業家や政治家などにしばしば侮られる対象であり、また、チックは、大不況下で青春を送った者として、人生への期待度が低い。彼は、そうした自分をへりくだって、チックと呼ばれることに甘んじているのであろうか。

さて、この作品で重要なチックとラヴェルスタインの関係は、どのようなものであろうか。

まず「ユーモアが二人を引き寄せた」という。ラヴェルスタインは哲学者であり、チックは作家として、それぞれ高度な思想体系を築いているが、それでも思想と現実との隔たりは常に存在している。その狭間を埋めるための潤滑油、あるいはクッションとして、ユーモアが機能する場合があるが、そうした意味でユーモアを駆使する二人は、親しみを増しているのではないか。

また、ラヴェルスタインには、古今東西の思想に親しみつつ、ハイテク機器を操作するという、古さと新しさが混じり合っている面があり、そこでアメリカの都市に住みながら旧世界東欧のユダヤ社会を大切にするチックと馬が合うのであろう。

さらに、ラヴェルスタインは、巨大な規模の精神生活を営んでおり、物事を大きく捉え、それを要約するのが得意であるが、チックは、大きな意味で秩序を持ち、世界を把握している人物に惹かれるという。「大きな意味で秩序を持ち」という意味は、小さなところでは、たとえば、ラヴェルスタインは、タバコの火でネクタイを焦がし、食事の際に食べ物をこぼし、子供が食べるような菓子に目がないが、大きな点でしっかりと秩序を把握しているということである。

二人は近所に住んでいるので、頻繁に出会い、互いに遠慮のない会話を交わしているが、ラヴェルスタインは作家のチックに自分の伝記執筆を依頼しており、会話の際、記録されることを意識して話している面もあるだろう。

ラヴェルスタインはこれまで友人たちから借金をしながら生活をしていたようであるが、そうした借金生活から抜け出すために本を書いたらどうか、というチックの提案を受け入れ、講義ノートをもとに本を書き、それが何と国際的なベストセラーとなり、ラヴェルスタインに名声と高収入をもたらす。大学での講義内容を一般書にして、それが大衆に受けたとは、驚くべきことであるが、こうした意味で、チックはラヴェルスタインにとって恩人である。そこで、ラヴェルスタインは感謝をこめて、チック夫妻をパリの最高級ホテルに招待し、豪華な食事を振る舞ったりしている。

そして、前述したように、チックはラヴェルスタインより年配であるが、ラヴェルスタインを「自分の教師」であると見なしている。ラヴェルスタインの幅広い知識を尊敬し、また、人生を修復の過程であると考えているチックにとって、ラヴェルスタインは遠慮なく意見を述べてくれる貴重な教師であるということであろう。

3　教育者としてのラヴェルスタイン

そこで教育者としてのラヴェルスタインに注目したい。

「講義準備に深夜まで時間をかけている」ということであり、ラヴェルスタインはかなり教育熱心である。優秀な学生たちを惹きつけ、その学生たちを高次の生活へ導こうとしているが、自分の求める水準に及ばない学生には、容赦しない。

ラヴェルスタインは、周囲に優れたものを選んで配置することを好む。それは住居であり、部屋の調度品であり、衣服であり、音楽である。そして周囲に優れた人材を集めている。

ラヴェルスタインは、哲学を教えるのみでなく、その哲学を生きようとしている。彼が教えようとすることは、哲学を生きようとする彼自身の具体的な姿に他ならない。

そこで、親から離れ入学してきた学生たちを、ラヴェルスタインは親代わりとして、いろいろ指導し、結婚相手まで心配している。

実際、学生たちは彼らの教師を尊敬し、その生き方を真似ている。そして、卒業後、学生たちは各分野でかなりの影響力を発揮する立場に就き、恩師にいろいろ貴重な情報を伝えてくる。このように卒業後も、師弟関係は長く続いているのである。

教育の目的は、将来に向けて社会の指導者や専門職を養成することであるから、ラヴェルスタインは、教育者として成功していると言えよう。

「魂が求めるものに、いかに応えるのか」。これが、ラヴェルスタインの重要な問いである。腐敗と混沌と暴力に彩られた現代文明は、必ずしも魂が求めるものに応えていない。それは、物質的な発展には大きな関心を払うが、精神的な成長をないがしろにしてきた。それは、俗悪な公共の伝達媒体、映画、アニメなどを通して、人の本能の最低部分を掘り下げ、人の精神に毒を流し込んでいるのである。そこでラヴェルスタインは、高次の生活の二大源泉としてアテネとエルサレムを慕い、古今東西より選び抜いた情報を、巨大な知識の枠組みに集約し、自己および関係者の可能性を最大限に高めようとするのである。

ところで、彼は、自分に大切な領域では理路整然としているが、ほかの分野では適当に流している。そうしたラヴェルスタインの生き方は、村上春樹が「本当に自分にとって興味のあることだけを自分の力で深く掘り下げるように努力をし、それ以外のジャンクはジョークとしてスキップしてしまう」(『村上朝日堂の逆襲』)と述べる方法に似ているかもしれない。これは、最優先事項に努力を集中し、高い生産性を上げようとする生き方である。ラヴェルスタインはそのような生き方をする人々の共同体を築くことを目指している。

ラヴェルスタインが目指す共同体は、『宙ぶらりんの男』でジョウゼフが築くことを試みた「精神の植民地」を連想させるものではないか。気心のあった人々が結集し、力を合わせて高次の生活を営む共同体である。それはまた、高い生産性を上げているイスラエルの集団農場(キブツ)や、アメリカなどで社会の運営に重要な役割を演じている非営利組織をも連想させよう。『エルサレム紀行』によれば、作家アモス・オズが暮らすキブツにおいて、一日の労働を終えた人々は、ロシア系であれば、トルストイやドストエフスキーなどの作品を真剣に読み、ドイツ系であれば、モーツァルトなどの音楽に浸って質の高い余暇を過ごしているという。

さて、チックは、ラヴェルスタインの演習にしばしば招かれ、ゼミ生たちと文学を語り合う。ラヴェルスタインほどの優れた学者に加えて、ノーベル賞作家が参加しているのであるから、これは素晴らしく質の高い演習ではないか。ちなみに、ベローは、『エルサレム紀行』でも、トルストイの長短編を読む講義を、別の教授と担当している、と書いてあるが、それも内容の濃い講義であろう。

また、ラヴェルスタインは、自宅で勉強会を開いている。ベローは、エッセイ「封印された宝」において、アメリカ社会での文学同好会の貧困さを嘆き、今日でも名作を読む人は存在するにせよ、その読んだ内容を話し合う仲間がいるのだろうかと問いかけている。そうしたサークルが存在しないならば、文学の宝は各人の内面に封印されたままになってしまうであろう。

アメリカの教育では、ＩＴ関係は盛んであるが、人文科学系は消滅寸前である、と『ラヴェルスタイン』でも語られているが、実際、ラヴェルスタインが開いているような内容の充実した演習や勉強会が方々に存在するならば、人文科学教育もアメリカで再び盛んになるのではないか。

ところで、歴史的に見て、教育とユダヤ性の維持がいかに深くかかわってきたことか。これは強調してもし過ぎることはない。もし教育制度が欠けていたならば、差別と迫害の歴史を経たユダヤ人の存続は、果たせていなかったかもしれない。これを理解したうえで、ラヴェルスタインの教育者としての働きに改めて注目しておきたい。

4　チックの存続への戦略

『ラヴェルスタイン』を含めて、これまでのベローの諸作品は、主人公が各状況をいかに生き延びるか、という「存続への戦略」を描くものである。

そこで、チックの存続への戦略を語る場合、『ラヴェルスタイン』にはホロコーストの影を生きる多くの人々が描かれており、そこで、ホロコースト生存者であり著名な精神分析医であるヴィクトール・フランクルを引用しても場違いではないであろう。

フランクルは、『夜と霧』の中で、生き延びるために、ナチスに対して目立つ存在であってはならない、と言う。また、精神的に豊かな者は肉体的に頑健な者より生き延びる可能性が高い、と述べている。それは、豊かな内面において、恐るべき外的状況よりささやかな形でも身を守る砦を築くことができるからであろう。そして、ユーモアの効用を活用すべきである、と説くが、さらに自分には愛する人が待っている、そして自分にはまだ果たすべき仕事がある、ということが生き延びる助けになったと語っている。これは、まさにチックの場合に当てはまるものではないか。

チックの場合、献身的で若く美しいロザマンドがいる。ロザマンドのためにも死ぬわけにはゆかない。また、チックは、ラヴェルスタインの伝記を書かなければならない。果たすべき仕事があるということが、食中毒で死にかけ、集中治療室からの生還が極めて稀な状況で、チックが奇跡的に後遺症も残らず、生き延びる助けとなったのである。

5 合理主義と神秘主義

チックの存続への戦略を見た後で、さらに存続に関して、ユダヤ人の合理主義と神秘主義に触れておきたい。

ユダヤ人は六一三の戒律を重視し、ユダヤ教の使命である現世の修復に励む。もちろん、六一三の戒律全てを実践できる人はいないであろうが、各自ができる範囲で善行を尽くし、神が創造された必ずしも完全ではない、矛盾の多い、現世の修復に努めるのである。

ユダヤ人は、生きることは学ぶことであると思い、生涯学習を実践し、生涯の運営計画を練った後、死を迎えるにあたって、神の面前で最後の審判を受ける。そこでは人の生涯における善行と悪行とが秤にかけられ、天国か地獄かへの審判が下るという。これは極めて合理的ではないか。

また、ユダヤ教は現世主義である。来世から帰った人はいない。来世があるかどうかもわからない。そんなあてにならない来世に期待するのではなく、あくまで現世で勝負しようとするのである。また、現世での悲惨な生活は、来世において救われる、などという、現世の不正を歪んだ形で正当化しようという説にもくみしない。

生涯学習、生涯運営計画、優先事項の習慣化によって、確かに豊かな生産性を持った生涯が送れるのではないか。多くのユダヤ人が、文化やビジネスの分野で大きな成果を挙げているのもこうした合理主義に基づいているのであろう。もっとも、そうしたユダヤ人の合理主義を皮肉る『犠牲者』のオールビーのような意見もあるが。

いっぽう、われわれは、合理主義に信頼を置く半面、人の不合理な面、たとえば、不合理な暴力性や残虐性や、分かっていてもやめられないという悪癖が、人にあることも無視できない。

もちろん、合理主義には素晴らしく機能する面があるが、合理主義だけではもしかしたらユダヤ思想は、平板なものになってしまうかもしれない。神秘主義を加えることによって、始めてユダヤ思想はより味わい深いものになるのではないか。そこで、人は存続のために、合理主義に神秘主義を合わせ、その均衡を図りながら、さらに理想と現実の狭間をユーモアのクッションで埋めてゆくような生き方が望まれるのかもしれない。

ユダヤ神秘主義に関して、十八世紀の東欧で野火のように広がったハシディズムは、歌・踊り・歓喜・善行によって神に仕え、いっぽう、「ロシアに根拠を持つルバヴィッチ派は、瞑想・夢・想像力・直感を重視し、その運動を広く展開している」（『困難に立ち向かって』）。また、神秘主義には、ゴーレム（人造人間）や、ディブック（死霊）や、十六世紀のユダヤ人聖者であるイツハク・ルーリヤの神話が、その彩りを添えている。これらの思想は、われわれ日本人に親しみ易いものかもしれない。たとえば、ゴーレムは、日本映画の三部作『大魔神』に現われ、ディブックは、『雨月物語』や、『源氏物語』や、ラフカディオ・ハーンの『怪談』を連想させる存在であり、さらに、イツハク・ルーリヤの神話は、万物に神々が宿るという日本人の信仰と響き合うものではないか。その神話とは、天地創造の際、創造の余りの圧力のために、創造の器が壊れ、神の神聖な光が処方に飛散した。その光は万物の中に封じ込められてしまったという。そこで、人は、善行を成すことによって、その閉じ込められた聖なる光を解放するのである。これは、人が存続を求める上で、非常に魅力的な神話であると言えよう。

ラヴェルスタインは、合理主義者であり、彼の著作や口頭発表は、合理主義によって組み立てられてあり、彼の主義主張はしっかりとした堅固な引用によって支えられてある。ところが、そのラヴェルスタインにも、すでに指摘したように、細かい点で、いろいろ不合理な問題が見出されよう。

いっぽう、チックは、作家というその職業柄、合理的な面はあるが、神秘主義に傾くことも少なくない。彼は、生と死のかなたに思いをはせる人物である。

そして、若いロザマンドは、恩師であるラヴェルスタインの影響を受けているが、チックと結婚生活を送っており、合理主義と神秘主義を取り持つ役割を果たせよう。

6　生と死のかなたに

存続への戦略が語られるとともに、ベローの諸作品ではまた死が論じられている。たとえば、『雨の王ヘンダソン』では、「多くの主要な事業は、前の世代で終了してしまい、今やいかに死に対応するか、という最大の問題が残されているのだ」と言う。

そして、ベローの諸作品でよく出てくる言葉は、「死」と並んで「倦怠」である。なぜ人生に倦怠を覚えるのか？　それは、死に真剣に向かい合っていないからではないか。死に真面目に対処しないでいると、その結果、生が見えにくくなり、生そのものが活気を失ってしまう。

そこでラヴェルスタインの生き方に注目したい。ラヴェルスタインは「倦怠を嫌う」。難病患者であるラヴェルスタインは、普通の人より死を意識していたはずであるが、そこで彼は残された時間の質を上げようと奮闘して生きた。難病を患っているにもかかわらず、哲学者・教育者としての人生を最後まで全うしようと努めた。飲酒や喫煙を止めず、パーティを続け、講義を継続し、講演会ではいつも真っ先に質問した。ディナー・クラブで経営者と知的な会話をすることを喜び、訪ねてくる人々とユーモアを交えて会話を楽しんだ。死を意識するがゆえに生を懸命に営んだのである。

吉田兼好の『徒然草』の言葉、「されば、人、死を憎まば、生を愛すべし。存命の喜び、日々に楽しまざらんや」は、ラヴェルスタインの生き方に当てはまるだろう。

また、日本においても、「いくたびも雪の深さを尋ねけり」と歌うように、ほとんど病床を離れえぬほどの難病にもかかわらず正岡子規は、まさにラヴェルスタインのように生きた。すなわち、ラヴェルスタインや正岡子規は、最後まで仲間と論じあい、友人と談笑し、飲食を楽しみ、与えられた「いま、ここに」を目いっぱい生きたのだ。

ところで、ラヴェルスタインは自宅で死を迎えたのか、あるいは病院で亡くなったのか。それは書かれていないが、大切なことであるように思われる。

病院で死ぬ場合、死が病院での出来事に移ってしまい、日常生活の中で死が見えにくくなってしまう。また、病院において、患者が意識を失ってからまで意味のない延命治療を施すべきではないだろう。

斎藤茂吉が「死に近き母に添い寝のしんしんと遠田のかはず天に聞こゆる」と歌うように、日本においても以前は自宅での死が普通であった。

自宅において死にゆく者は、意識があるうちに人々に感謝や別れの言葉を述べ、そして、家族、親族、愛犬などに見守られて、世を去っていった。そして、地域の人々もその死の体験を共有したのである。

このように真面目に死に対処することは、生を考える上で大きな教育効果をもたらすのではないか。

『ラヴェルスタイン』を含めて、ベローの諸作品では、しばしば「固有の死」が語られている。ホロコーストの大量虐殺を経た後の世代にとって、特に固有の死は意味が深い。読者は作品を通して固有の死を何回も反復しながら、自らの生を考えてゆく。死を見つめることによって、生の意識を高めてゆくのである。これは、ベロー文学を読む一つの大きな意義であると言えよう。

ところで、ベローと並んで、ノーベル文学賞を受賞したユダヤ系作家アイザック・バシェヴィス・シンガーは言う、「宇宙のどこかにすべてのことを細密に記録する保管所があるのではないか」(『ショーシャ』)と。

また、ユダヤ系経営学者のピーター・ドラッカーは「あなたは何によって記憶されたいか」と『非営利組織の運営』を含めた諸作品において繰り返し問う。ドラッカーの問いは、シンガーの言葉と響き合うものではないか。

たとえば、作品の雰囲気がユダヤ系作家のものを連想させるシャーウッド・アンダソンの短編「森の中の死」に描かれるのは、名もない女であるが、彼女の生涯は、周囲の人や動物に対して、食事の世話をする、という仕事によって一貫していた。

また、アイザック・シンガーの短編「タイベリと悪魔」に登場するユダヤ社会の最底辺に生きる教師補佐アルホノンは、精神的に折れることもなく、話術の才能を生かし、薄幸の未亡人との性生活を楽しんだのである。

「森の中の死」にせよ、「タイベリと悪魔」にせよ、このような生涯を送った人がいたのだと、宇宙の保管所に記録され記憶されるかもしれない。

確かに、『ラヴェルスタイン』に描かれるように、人の誕生以前には巨大な暗黒が存在し、その人の死後にはまた膨大な暗黒が横たわっている。人は、そうした巨大な暗黒の狭間につかの間の生を得るのみかもしれない。

実際、人は自らの意志でなく誕生し、自らの意志でなく世を去ってゆく。暗黒に挟まれたほんの束の間の生である。しかし、誰にもしかと分からない死に関していたずらにおそれて生きるより、人は生きているときをいかに良く生きるかに努めるしかない。

そもそも、われわれが現に存在する限り、死は存在しないし、また、死が現に存在するときは、もはやわれわれはこの世にいないのである。

ラヴェルスタインは、古今東西の叡智を選んで集約し、それによって巨大な思想の枠組みを構築し、ハイテク機器も活用した。

合理思想によれば、死者は、その家族・親族・友人・知人たちの記憶に生きており、また、死者の業績は、その影響を及ぼす限りにおいて、生きている。

したがって、ラヴェルスタインは、彼の指導を受けた人々や、その影響を受けた人々や、また、彼のことを読む人々の記憶の中に生き続けるだろう。その意味で、ラヴェルスタインは「生と死のかなたに」生きている。

同様に、聖書で語られるモーセは、ユダヤ人にとって、自分の祖父以上に親しい存在であるのかもしれず、モーセが影響を及ぼす限りにおいて、彼は「生と死のかなたに」生きているると言えよう。

7　おわりに

いっぽうで、「魂の存在とは？」、「来世の存在とは？」、「宇宙の果てとは？」などと問い続けて生きてゆくことも無意味ではないだろう。たとえば、シンガーは言う。「細菌は、それが見える顕微鏡が発明されてから、その存在が明確になったのである。それでは、いつか魂が見える顕微鏡が発明されるかもしれない」と。

同様に、死者の世界から戻った人は誰もいないと言っても、それで来世の存在を否定しきることはできない。ベローのように、われわれが、「生と死のかなたに」を問い続ける意味はあるだろう。

実際、われわれは、「生と死のかなたに」を問ういっぽうで、存続への戦略を考える。死を考えることによって、生を活性化するのである。合理主義は重要であるが、合理主義のみでは生涯を渡れまい。

ベローが『雨の王ヘンダソン』や『ユダヤ短編傑作選』の序文で述べるように、物事の混淆をその不純や悲劇や希望を含めて受け入れること、そして、それを発展させて、合理主義と神秘主義のふさわしい混淆を受け入れること、が求められよう。そこで、合理主義と神秘主義の狭間を埋めるものは、ユーモアであるかもしれない。

引用・参考文献

Anderson, Sherwood. *Death in the Woods and Other Stories.* Los Angeles: Green Light, 2006.

Bellow, Saul. *Dangling Man.* New York: The Vanguard Press, 1944.

——. *The Victim.* New York: The Vanguard Press, 1947.

——. *The Adventures of Augie March.* New York: The Viking Press, 1953.

——. *Seize the Day.* New York: The Viking Press, 1956.

——. *Henderson the Rain King.* New York: The Viking Press, 1959.

——. *Herzog.* New York: The Viking Press, 1964.

——. *Mosby's Memoirs and Other Stories.* London: Weidenfeld and Nocolson, 1968.

——. *Mr. Sammler's Planet.* New York: The Viking Press, 1970.

——. *Humboldt's Gift*. New York: The Viking Press, 1975.

——. *To Jerusalem and Back*. New York: The Viking Press, 1976.

——. *The Bellarosa Connection*. Middlesex: Penguin Books, 1989.

——. *It All Adds Up*. New York: The Viking Press, 1994.

——. *Ravelstein*. Middlesex: Penguin Books, 2000.

——ed. *Great Jewish Short Stories*. New York: Dell Publishing Co., 1963.

Drucker, Peter F. *Managing the Nonprofit Organization*. New York: Harper, 1990.

Hearn, Lafcadio. *Kwaidan*. Tokyo: Charles E. Tuttle Company, 1971.

Hoffman, Edward. *Despite All Odds : The Story of Lubavitch*. New York: Simon & Schuster, 1991.

Singer, Isaac Bashevis. *Short Friday*. New York: Farrar, Straus & Giroux, 1964.

——. *Shosha*. New York: Fawcett Crest, 1978.

上田秋成『雨月物語　春雨物語』円地文子訳・河出文庫、二〇〇八年。

大岡信『折々の歌』岩波新書、一九八〇年。
中野孝次『すらすら読める「徒然草」』講談社、二〇〇四年。
——『いのちの作法』青春出版社、二〇一二年。
村上春樹・安西水丸『村上朝日堂の逆襲』新潮文庫、一九八六年。
紫式部『源氏物語』瀬戸内寂聴訳・講談社文庫、二〇〇七年。

第6章　死と競り合って――歴史家デイヴィッド・ワイマン

1　はじめに

歴史家デイヴィッド・ワイマン（一九二九―二〇一八）は、一九三八年～四一年におけるホロコースト難民の米国受け入れ状況を調査したことで名高い。『書類の壁』、『ユダヤ人を見捨てて』、『死と競り合って』などに加え、当時の関連資料を十三巻の文献『アメリカとホロコースト』にまとめている。僕は、ワシントンのホロコースト博物館の図書室において『アメリカとホロコースト』の一部を読んだが、当時の生々しい資料に圧倒される思いであった。ワイマンは、メソジスト教会の信者でもあり、彼の良心にかけて、ユダヤ人、アメリカ人、そして人類に関わるこの難民問題を探求せずにいられなかったのだ。

今日、われわれがワイマン教授の著作を紐解く意味は、ホロコースト研究の一端に触れるのみではない。と言うのは、難民は当時だけの問題ではなく、依然として今日の課題だからである。今日、果たしてわれわれは難民問題に対して、第二次大戦当時よりうまく対応できるのであろうか。

2　難民受け入れを阻んだ三要因

「難民とは、土や水を失った植物」（『レオ・ロステンのユダヤ引用の宝庫』）にも譬えられようが、一九三八年から四一年にかけてホロコースト難民が必死に避難先を求めていた時、米国を含めて諸外国の門戸は、ほとんど閉ざされていた。もし米国が率先して難民を受け入れていたならば、他国もそれに倣ったかもしれないが、不幸にもそうした状況にはなかった。ワイマンは、『書類の壁』などで、その要因を三点繰り返し述べている。それは、自国第一主義、経済不況の影響、そして反ユダヤ主義である。

まず、自国第一主義とは何か。すなわち、これはヨーロッパの問題であり、アメリカの問題ではない、また、難民は、ユダヤ人の問題であるから、その処理は、ユダヤ人に任せよ、という発想である。そのうえ、難民に混じって、犯罪者や精神病患者や生活保護対象者などがなだれ込んできては困るし、経済不安の影響が残る中で、難民の流入は失業者を増大させるだけで、至極迷惑である。したがって、海外からの難民の対応ではなく、まず国内問題の解決を最優先にせよ、という考えである。

次に、人手不足が生じた第一次大戦後と異なり、第二次大戦時の世界は、経済不況の影響に見舞われていた。経済不安におびえる諸国は、難民問題が深刻化した一九三八年、それに対応する準備がなかった。ナチスのユダヤ人政策は、一九四一年の夏まで、虐殺ではなく追放であったと言われるが、一九三〇年代より四〇年代初めにかけて、世界は難民を受け入れる体制になかったのである。

米国の場合も、経済がひっ迫しており、難民の流入を厳しく制限し、問題の複雑化を避けようとした。難民受け入れの前に、国内の不遇な人々を世話すべきであると訴えたのである。

メイシーやブルーミングデイルなどユダヤ系百貨店では、難民を従業員として雇う努力をしていたが、一般の状況では、国内の失業者が八百万〜一千万に達した時代に、難民を受け入れることは、さらなる失業者の増加を意味した。

加えて、当時アメリカにはびこっていた反ユダヤ主義の風潮も難民の救済を妨げたのである。ユダヤ人は強欲で嘘つきで攻撃的であり、アメリカ経済やマスメディアを牛耳っている、とさえ非難したのであった。厳しい環境を生き延びるために、そのような性格を持ったユダヤ人が存在したかもしれないが、むしろ、「ユダヤ人が邪悪な性格を持っていたというより、少数民族であった彼らを貶める人々が、そのような性格をユダヤ人に無理やりに押し被せたのである」（『レオ・ロステンのユダヤ引用の宝庫』）と述べるほうが、正確であっただろう。

3　今後の問題

ワイマン教授の著作を読み、われわれが難民問題を考える意味は何か。これはユダヤ人だけの問題か。あるいは、これはアメリカだけの問題か。否、これは人類全体の問題である。難民が群がる世界に、われわれは安閑として生きてゆくことはできない。この問題を放置しておけば、それは徐々にわれわれ自身の首を絞めることになってゆくだろう。現在、同様のことが起こったならば、われわれはいかに対応できるであろうか。

かつて難民をアラスカに送り、辺境開拓に従事させようという計画があったことを『書類の壁』でワイマンは述べているが、今後、難民が生じたとき、たとえば、彼らを世界に点在する砂漠の開拓・緑化に従事させるようなことが起こるだろうか。また、それは可能だろうか。イスラエルで進められてきた砂漠の緑化は、世界各地で応用が可能だろうか。それが難民問題や食糧問題の改善につながるだろうか。

まず、基本的な問題として、世界の人口を適切な数に抑えることが必要であろう。適切な数とは、十分に食料が行き渡る数という意味である。世界では、餓死する人々が後を絶たないのだ。実際、人口抑制には、さらなる努力が払われるべきではないか。基本的には、一組の夫婦に二人の子供という比率が望ましいだろう。『ラビ・スモールとの対話』においても述べられている、「戒律を全うするには、二人の子供をもうけることで十分である。息子と娘である」と。実際、ラビ・スモールとミリアムの夫妻も、息子ジョナサンと娘パテシバを授かっている。信仰の問題などが関わるかもしれないが、地球上の他の生物の存続も考慮し、人類は、運営できる範囲にその数を抑えるべきではないか。『ふしぎワールド・われらの地球』によれば、自然の生物の中でさえ、カツオドリやゴミムシダマシやウサギを含めて、自らの存続の危機を迎える前に、その数を抑制しようとする本能を働かせているのである。

いっぽう、食糧増産の努力も大切である。空き地の効率的な活用、荒地の開拓、砂漠の緑化、水資源の有効利用、品種改良などが求められよう。国土の狭い日本でさえ利用されていない空き地が多いのである。また、たとえば、河川の土手に雑草をはびこらせておくだけではもったいなく、それを野菜や草花の栽培など、生産的に活用できないものかと考えてしまう。

他方で、移民や難民は、労働力を提供し、消費を拡大し、経済を活性化するという可能性は大切であろう。また、新たな土地で新生活を築く際の彼らの旺盛な活力を軽視すべきではない。彼らは、しばしば日に十六時間やそれ以上の労働を成し遂げているのである。移民や難民の体験を描く文学作品、たとえば、メアリ・アンティンの『約束の地』、アンジア・イージアスカの『パンをくれる人』、グローリア・ゴールドレイチの『レアの旅路』などによれば、新しい生活を築こうとする移民・難民の活力、移民の発展、移民の社会への貢献には顕著なものがある。

今後も、いわゆる先進諸国では出生率は減少を続け、いっぽう、発展途上国では人口が増大し続けるのであろうか。人口減少と増大の不均衡を是正するよう目指す教育は、可能なのではないか。

現状では、人口が増え続ける発展途上国では、国家の運営が立ち行かなくなり、人々は難民となって、他国へ活路を見出そうと移動してゆくだろう。人口が減少している先進諸国では、海外からの移民は必要であろうが、難民を受け入れがたいという気持ちも働くだろう。いっぽう、難民は、新しい土地で、生活が向上する場合もあるだろうし、また、新しい土地に何らかの文化をもたらすことや、活気をもたらすこともあるかもしれない。しかし、このような状況は、堂々巡りのように、延々と続いてゆくのであろうか。どこかで、もっと効率的に社会を運営する方法を見出せないものであろうか。

４　死と競り合って

さて、ワイマンが『死と競り合って』で詳述しているピーター・ベルグソンたちの活動や達成とは、何だったのか。

パレスチナのチーフ・ラビの甥であった二十八歳のピーター・ベルグソンは、アメリカの良心を目覚めさせ、「死と競り合って」という新聞キャンペーンを立ち上げ、大衆運動を起こし、政府に訴え、ホロコースト難民の救助を必死に訴えていた。大衆運動に関しては、ソール・ベローの『ベラローザ・コネクション』にも描かれているように、数百名のラビをワシントンの行進に動員し、ベン・ヘクトなど著名なハリウッド劇作家の援助を受けたりしていたのである。

一九四三年までにベルグソン・グループのみが救助活動に必死であったという。それは、どのような状況であったのか。

一九四〇年に渡米したベルグソンは、ユダヤ系アメリカ人の主流派より反感を抱かれていたのだという。その理由として、奮闘の結果、ようやくアメリカで安定した地歩を築いていた主流派は、外部からやってきた者が社会に波風を立て、国内に反ユダヤ主義を助長するのではないかと恐れ、また、パレスチナから来た「よそ者」が余分なおせっかいをすると見なしていたのかもしれない。あるいは、ベルグソンが師事していた戦闘的なジャボチンスキーは、穏健なユダヤ系アメリカ人の主流派と馬が合わなかったということもあったのであろう。いずれにせよ、背後に複雑な事情があったとしても、ホロコースト難民の救助に関して、アメリカでユダヤ人が一枚岩になれなかったことは、不幸であった。

それでも、山なす困難にもかかわらず、ベルグソンたちの死と競り合う活動は功を奏し、その顕著な達成として、戦争難民委員会が（かなりの時間が経過したとはいえ）一九四四年一月に発足した。ただし、ワイマンによれば、戦争難民委員会には大きな権限は与えられず、政府の予算もつかなかった。委員会は、ほとんど個人的なユダヤ人からの献金で成り立っていたが、それでも約二十万人の難民を救助した。また、歴史に残る外交官ラウル・ワレンバーグによるハンガリーのユダヤ難民救助は、戦争難民委員会の支援のもとで成されたのであるという。

いっぽう、ユダヤ系アメリカ人主流派の指導者であったラビ・スティーヴン・ワイズは、ルーズヴェルト大統領の支持者であり、これも『ベラローザ・コネクション』に指摘があるように、時折大統領と会見する機会さえあったにもかかわらず、彼は、それを難民救助に活用できなかったのだろうか。あるいは、大統領にもいろいろな思惑があったのだろうか。結局、アラブ寄りの国務省や波風を立てることを躊躇するユダヤ人主流派の思惑も加わり、難民救助はルーズヴェルト政権の優先事項とならなかったという。国務省は、救助に何ら努力せず、ひそかに移民の割り当てを削減したり、ホロコーストの情報を隠蔽したりした（『書類の壁』）。ルーズヴェルトは、その気になれば、救助を促進できたはずであったが、むしろ、「まず戦争に勝利を得ることによって、難民救助をもたらす」という戦略に転換していったのであった。

ホロコーストのような政府による虐殺を止められるのは、政府である。政府による巨大な虐殺には、同様の大きさの組織で対応しなければならない。政府による動きがあったならば、ホロコーストは止んでいたかもしれない。ルーズヴェルトが救助を決意していたならば、多くの人々が救われていただろう。

ところで、一般に、世の人々は、各自の俗事に忙殺され、世界の共通問題に対しての関心が薄れがちなのではないだろうか。人々は、世界で何が起こっているのかを知っていながら、重い腰を上げようとしないことは、残念ながら、ホロコーストを含めた多くの事例が示すところである。

それを思うとき、いっぽうで、たとえば、ヘレン・エプスタインの『ホロコーストの子供たち』に描かれるイェフダ・コーエンや、ソール・ベローが著した『サムラー氏の惑星』の老主人公は、ホロコースト体験者やその子供として、「第二のホロコースト」になるかと危惧された一九六七年の第三次中東戦争において、遠くで傍観することにいたたまれず、現場にはせ参じなければいられなかったのだ。「何かをしなければ、じっとしていられない」という彼らの切羽詰まった気持ちや、現場に駆け付けるその実践力に注目すべきだろう。それは、死と競り合って、というピーター・ベルグソンの気持ちと響き合うものであったことだろう。

切羽詰まった気持ちでイスラエルへ飛んだのは、イェフダ・コーエンやサムラー氏のみでなく、世界諸国から大勢のユダヤ系市民が、同様の気持ちを抱いて、戦火の国へとはせ参じたのであった。非常時において、このような実践力を発揮できる人々が存在することは、まさに驚異であるが、それは、死と競り合って、という緊迫感が背後にあったことだろう。ちなみに、東日本大震災の折、遠い海外より真っ先に駆けつけてくれたのは、イスラエル救援隊ではなかったか。

5　パレスチナ難民の問題

難民と言えば、パレスチナ難民の問題も考慮すべきであろう。アフリカなど他の土地も移住先に考えられたことがあったにしても、ホロコーストを経たユダヤ人が、パレスチナに国家建設を求めたとき、周辺のアラブ諸国はそれを受け入れようとせず、生まれたばかりのイスラエルに攻撃を仕掛けたのであった。これが、いわゆる独立戦争である。この戦争の過程で、パレスチナ難民が生まれたのであった。

ただし、いっぽう、度重なる中東戦争において、アラブ諸国を追われたユダヤ系難民も生じたのである。彼らは、ホロコースト難民に加えて、新生イスラエルに吸収されたのであった。多くの難民を吸収し、彼らにヘブライ語教育や職業教育を施し、有益な市民に養成することは、新生イスラエルにとって、決してたやすいことではなかっただろう。その困難な事業を、集団農場（キブツ）や計画都市も活用し、とにかくイスラエルは成し遂げてきたのである。

それでは、パレスチナ難民への対応はどうであったか。彼らは、四国ほどの面積しかないイスラエルと比較すれば、広大なアラブ諸国のいずれかに容易に吸収できたはずではなかったか。アラブ諸国はそれを実行せず、イスラエルを窮地に追い込もうとする政治的な目論見も絡み、難民を収容所に押し込み、混雑した不便な生活を彼らに押し付けたのであった。これは、ソール・ベローも『エルサレム紀行』において指摘しているように、「きわめて粗雑な運営」と呼べるものではなかったか。

その稚拙な運営を加速するかのように、パレスチナ難民は、収容所に押し込められた状況で、（イスラーム教の影響もあるのであろうが）人口を増やしていった。彼らは概して子沢山である。生活を合理化しようとするならば、出生率を抑えようとするのが普通であろうが、彼らはそれをしなかった。その結果、人口が過密化する状態の中で、欲求不満や怒りが増大し、不幸で非生産的な人生や破壊的な生き方に陥っている。この状況を、いかに修復できるか。

国連による国家分割案やその他の仲裁案を、アラブ諸国は、すべて拒否してきたのであった。ヨーロッパのユダヤ人問題を自分たちに押し付けてきた、というアラブ諸国の不満や怒りは理解できるにせよ、差別と迫害の歴史を経て、さらにホロコーストを体験したユダヤ人たちが、必死の思いでたどり着いた状況に、もっと寛大な態度を示せなかったのだろうか。新生イスラエルに対して、攻撃を仕掛け、ユダヤ人の壊滅を図ったことは、行き過ぎではなかっただろうか。

イスラエル誕生の折の独立宣言にも窺える（『イスラエルの現状』）ように、イスラエルは中東の発展に貢献し、それがアラブ諸国の前進にもつながる可能性がなかっただろうか。今後、中東の発展を考えるとき、イスラエルとアラブ諸国との関係について、工夫し改善すべきことは多いだろう。この課題にも、死と競り合って、という緊迫した要素が付きまとうことだろう。

6　難民になったならば

ところで、僕は、透析治療を十年以上にわたって受けている難病患者であり、その意味で、僕にとって死と競り合って生きることは、他人事ではない。

そうした状況の中で、地震や津波などの自然災害の多い国に暮らしているのであるから、いつどこで災害難民にならないとも限らない。現に、僕の現住所や故郷の町は、これまで自然災害とは無縁であったが、二〇一九年十月の大型台風によって想定外の被害を被ったのである。ベローが『犠牲者』において語るように、「遠方であると思っていた雨滴が、いつ何時わが身に降りかかってくるかもしれない」状況に至っているのだ。したがって、たとえ他の国に移り住むことがなくとも、他の土地に移動せねばならないことは十分に考えられよう。

仮にそうなったら、いかに存続を求めてゆくのか。以下の問いかけが、まず頭に浮かぶだろう。新しい土地で自活できるか。そのために教育や技術があるか。十分な資金を持っているか。新しい生活を築くだけの十分な健康や活力があるか。新しい土地に頼りになる人々がいるか。そこでは相互援助組織があるか、などである。

また、新しい土地で、精神的に落ち込まないために、元気を回復するようないかなる読書が可能か。逆境でユーモアを発揮できるか。栄養のバランスの取れた飲食物を得られるか。身体を清潔に保つために入浴などは十分にできるか。決まった仕事に携わることができるか。生涯学習の継続は可能か。ゼロに近づく生活の中で、喜びを得られるか。

一般論として、われわれには、大災害を防ぐことは無理かもしれない。しかし、大災害に備える組織を準備することは可能である。それは、死と競り合って、という気持ちを基礎としたものであろう。

7　おわりに

江戸時代を描く池波正太郎が述べるように、「人は、生れ出た瞬間から、死へ向かって歩み始める」（『男の作法』、『武士の紋章』、『日曜日の万年筆』）のであるから、この避けられない事実を折に触れて心にとどめ、日々を充実させてゆかなければ、人生はいたずらに空転してしまう。

実際、人は死と競り合って生きているのであるが、そのことを意識して暮らす人は少ないかもしれない。ただし、紆余曲折の人生において、明日はどうなるかわからない。このことをしばしば感じている人は、その生き方が違ってくるだろう。そこで、デイヴィッド・ワイマンの著作を折に触れて紐解くことは、人にその意識を高めさせ、その生き方に影響を及ぼすことであろう。

追記

デイヴィッド・ワイマン教授より署名入りのご著書を贈っていただいた。心より感謝を申し上げたい。

また、仲介の労をとってくださったホロコースト生存者であるレジネ・バーシャクさんにも深く感謝している。レジネ・バーシャクさんは、フランスより渡米して以降、僕が最初にお会いした英国での「ホロコーストを記憶する国際会議」（一九九二年）に参加することを含めて、ホロコーストに抵抗する運動を、責任ある市民として、継続してきたのである。それもまた、死と競り合って、という気持ちからであったことだろう。

引用・参考文献

Antin, Mary. *The Promised Land.* Princeton: Princeton UP, 1940.

Bellow, Saul. *The Victim.* New York: The Vanguard Press, 1947.

——. *Mr Sammler's Planet.* New York: The Viking Press, 1970.

——*To Jerusalem and Back.* New York: The Viking Press, 1976.

Facts about Israel. Jerusalem: Ministry for Foreign Affairs, 1965.

Seff, Philip & Nancy R. *Our Wondrous World.* 北星堂書店, 1972.

Wyman, David S. *Paper Walls.* New York: Pantheon Books, 1981.

——. *The Abandonment of the Jews.* New York: Pantheon Books, 1984.

——. *A Race Against Death.* New York: The New Press, 2002.

Yezierska, Anzia. *Bread Givers.* New York: Persea Books, 1925.

池波正太郎『日曜日の万年筆』新潮文庫、一九八〇年。
——『男の作法』新潮文庫、一九八一年。
——『武士の紋章』新潮文庫、一九九四年。
三浦綾子『泥流地帯』新潮文庫、一九七七年。
——『続泥流地帯』新潮文庫、一九七九年。

●ユダヤ人の合理主義と神秘主義

第7章　ソール・ベローの『この日をつかめ』――ユーモアと神秘主義のきらめき

1　はじめに

ソール・ベローの作品は、ユダヤ神秘主義カバラーの介在なくしては理解しがたいのではないか。その点は、アイザック・バシェヴィス・シンガー、エリ・ヴィーゼル、バーナード・マラマッドらの場合も同様であろう。すなわち、彼らの作品は、合理主義のみでは捉えがたい面を持ち、そこでは合理主義の解釈をするりと抜けてしまうところに、神秘主義が顔を出してくるのである。

ここでユダヤ人の歴史を振り返れば、ポール・ジョンソン、シーセル・ロス、ハワード・サチャーらの著作からも察しられるように、合理主義と神秘主義の流れが並存し、そこでは合理主義の流れが圧倒的であるように思えるが、少数派とはいえ神秘主義の流れを無視することはできない。特に、ホロコーストを経たユダヤ人が、神秘主義カバラーへの関心を高め、いまやカバラーがアメリカで家庭用語となっていることは、注目に値しよう。神秘主義とは、合理主義の網の目からこぼれてしまうものを探し求め、聖典にさらに隠れているものがあるのではないかと探求する姿勢である。

ホロコースト以後、なぜ人々はカバラーに惹きつけられるのであろうか。大きな悲劇によって生じた閉塞感を脱し、それを黙認したかのように思える神を探求し、人の残虐性を抑制し、その積極的な潜在能力を掘り起こそうとする願いからであろうか。それは一時的な流行のようにも思える反面、人々が真剣にユダヤ教の古い道より二十一世紀の生き方を模索していることもまた事実であろう。

人々を惹きつけるカバラーの人間観とは、アディン・スタインサルツ、ゲルショム・ショーレム、エドワード・ホフマンらの研究によれば、以下のものである。人は、神のイメージによって創造されたのであるから、神に近づく高次の潜在能力を秘めているのである。しかるに、実際、人はしばしば半分眠ったような状態で暮らし、自らの真の自己さえ知らず、その人生の方向付けもままならず、精力を集中すべき優先事項も不確かなままに、些事に翻弄されているのではないか。そこでカバラーは、日々の鍛錬を通して、各人の精神を覚醒させ、神によって与えられた使命の充足を求めさせ、その可能性を最大に伸ばす生涯学習に邁進させようとする。各人の充足を基盤として、ヘブライ語で「ティックン」と呼ぶこの世の修復を求め、現世に神の国を築こうと図るのである。

本章では、中年の人生に行き詰まったトミー・ウィルヘルムの「清算日」を描くベローの『この日をつかめ』を中心として、カバラーの影響を探ってゆきたい。

2　ウィルヘルムの失敗

『この日をつかめ』の主人公ウィルヘルムは、大部分がその性格に起因するのであるが、とにかくついていない男（シュレミール）である。彼の人生は、迷いの果てにあわただしくなされた未熟な判断によって形成されてきた。

たとえば、スクリーン・テストの結果がおもわしくなかったのに、大学を中退し、いかがわしいスカウトを頼りにして、ハリウッドに飛ぶ。ちなみに、雨が少なく外部での撮影に最適なハリウッドの映画産業は、主として東欧ユダヤ移民によって確立されたものである。『何がサミーを走らせるのか?』にもハリウッドの生存競争が描かれているが、ウィルヘルムの場合は、そこで端役として失意の七年間を過ごすことになる。また、その過程で不首尾に終わった学歴は、教育を重視するユダヤ人家庭では、特に不名誉なことであるに違いない。

また、彼は、父親アドラー博士の影響を利用して、『雨の王ヘンダソン』のように医師を目指す道もあったであろうし、血を見る手術がいやであるならば、それなりの選択もあったかもしれないが、結局、彼にはそうした職業能力が欠けていたのではないか。

それでも紆余曲折の後、玩具会社にセールスマンとして戦後より十年近く勤務し、副社長候補にまで昇ったのであるから、そこで辛抱していれば、金銭問題に苦しまなくてすんだかもしれない。ところが、なまじ副社長になると周囲に触れ回ったために、それが反故にされると、自尊心を傷つけられ、会社に戻ることができない。

いっぽう、結婚生活では妻との間に性的な問題や倦怠が生じ、それは我慢していれば解消できたかもしれないが、痺れを切らして自ら家庭を飛び出してしまう。その挙句に、妻は離婚に承知せず、また、妻は学位をとりながら、子供の教育のためにと主張して、職業を探そうとせず、次々と金銭を要求してくる。

挙句の果てに、おそらくは父親の情けを求めて（ただし、それはまったく当てにならないものであるが）、ほかに身を寄せる場所があったであろうに、よりによって父親と同じホテルで暮らすことになる。その状況は、以下の乞食のユーモアを連想させよう。

裕福で慈善に富むロスチャイルド男爵家に乞食が訪れる。「あっしはもとウィーン・フィルハーモニー楽団にいたんでやんすが、楽団が解散してから不運続きでやんして」「何の楽器を演奏していたのかね」「バスーンでやんす」「それは良かった。私のお気に入りの楽器だ。それじゃ援助してあげる前に、ひとまず音楽室に来て、吹いてくれたまえ」。乞食は青ざめてつぶやく、「まったく不運続きでやんす。よりによってバスーンを選ぶとは！　トホホ……」（『ユダヤ人のユーモア百科事典』）。

3　父親と息子

父親と息子の住むホテルはマンハッタンにあって、十三階建てである。客層は、老人が多く、彼らは大概やることもなく、毎日ぶらぶらと過ごしている。『ベラローザ・コネクション』の場合と同様、小柄な父親であり、医師であったアドラー博士は、資産を十分に蓄え、静かな環境へ移ることも可能であろうが、都市で生まれた人間として、食事の心配もなく、いろいろ世話してもらえ、サウナ風呂やマッサージも快適なこのホテル住まいを好んでいるらしい。成功した高名な医師として、また社交上手であり、（心中では近づく死を恐れているが）表面では和やかな表情を維持し、周囲の人々からたとえ束の間であってもちやほやされることを楽しんでいる。

いっぽう、ウィルヘルムはまだ四十四歳であり、老人が群がるこのホテルは「場違い」である印象を否めない。実際、彼は妻子や職場より離れ、流浪の身である。都市で生まれながら、騒々しいニューヨークにいごこちのよさを感じることもできない。彼は、『セールスマンの死』のウィリー・ローマンのように自殺に追い込まれる状況にまでは至っていないが、自ら招いたさまざまな問題を抱えている。

父親が、移民出身の苦労を経て、刻苦勉励し医師にまで出世し、八十歳になる現在でも自己管理を堅持しているのに対して、四十四歳の息子は、有り余る精力を持ちながら、彼の乱雑なホテルの部屋を見れば窺えるように、精神的な自律ができているとは言い難い。それは、吸ったタバコをポケットにしまい、コカコーラや鎮静剤や睡眠剤を飲み過ぎ、セカンドギアで走り、方向変換の表示を忘れ、車内を散らかし放題にしている状況からも察しられよう。

規律を守り毅然としたドイツ系ユダヤ人の父親と、感情が豊かな東欧系ユダヤ人の母親の気質を受け継いだらしいウィルヘルムは、きわめて対照的である。

父親は、不出来の息子を持ったほかの老父の苦労を見ており、息子の苦境を知っていても、それを援助し始めると際限がなくなることを恐れている。それが果たして正しい態度であるかは、議論の余地があるかもしれないが、一面では、息子はいつまでも親に甘えるような態度から足を洗うべきであろうし、老いた父親としては、自分の近づく死に対応するだけでも大変であるのに、息子の混沌や無秩序に巻き込まれたのではやりきれない、という思いは尤もであろう。

そもそも医師として勤務していた時代の父親は、研究室か病院か講演かと多忙であり、息子と過ごした時間が少なく、息子への配慮も乏しかったかもしれない。それでも父親は息子の不潔な習慣を苦々しく思い、ホテルの部屋をもう少し清潔に保てないのか、食事の際にせめて手を洗わないのか、といぶかる。父親と息子の間柄として、ささやかなことさえ気になって仕方がないのである。客観的に見れば、こうした親子関係は、ユーモアを込めて、巧みに描写されている、と言えるかもしれない。

4　タムキン博士

かくして求めても父親の暖かみを得られないウィルヘルムの心の空洞に忍び込むのは、同じホテルに住む通称精神科医のタムキン博士である。

タムキン博士は、あたかもウィルヘルムに催眠術をかけようとするかのように、多くの物語を語りかける。

タムキン博士が次々と語る物語は、聖書やタルムードや伝説などより湧き出てくるユダヤ人の「豊かな物語性」を連想させよう。それがウィルヘルムの困惑した心に染み込んでゆき、彼の想像を掻き立てるのである。それは、十七世紀にハシディズムの創始者バル・シェム・トヴが、そしてその曾孫であるブラツラフのラビ・ナフマンが、物語を用いて信者たちに語りかけているかのようである。

タムキン博士は、金銭で頭がいっぱいになって、仕事ができなくなると言うかと思えば、金銭を考えないときに最も良い仕事ができるなどと矛盾したことも口走る。それでいて「真の自己と虚偽の自己」などウィルヘルムを感動させる内容も口にする。また、タムキン博士は、とうてい天才でなければ不可能と思えるような人生体験を積んでいるのである、とのたまう。さらに、人類の救済者を気取って、「精神の覚醒」を果たせば、人は偉大になれる、したがって、精神を集中させ、高次の意識に至るために、この日をつかめ、と説教する。これらは、カバラーの説く内容を連想させるものではないか。おそらくタムキン博士は、詐欺師であり、ペテン師なのであろうが、そうした人物がウィルヘルムの再生に一役買ってゆくところが面白い。いっぽう、主人公は、自分の存在意義を探ろうとし、人生の叡智という話題に弱いために、タムキン博士の小ざかしい口調に乗ってしまうのである。

実際、タムキン博士は、言葉巧みにウィルヘルムを欺き、虎の子の七百ドルを株に投資させてしまうなど、ハワード・シュワルツの編集したユダヤ民話『リリスの洞窟』などに登場してくる悪霊を連想させよう。ただし、彼はウィルヘルムにとって有益な言葉も吐いているのである。

5　ユーモアのレンズを通して

前述したように、ウィルヘルムと父親やタムキン博士との関わりをユーモアの観点から眺めることも可能である。

たとえば、父親アドラー博士は、息子の拙速な性格は母親ゆずりであると言いたいのであろうが、これは以下のようなユダヤ人のユーモアを連想させる。

「出エジプト記」において、モーセとの約束を再び破ったファラオを、「とんでもないやつだ！」とモーセの兄アーロンはののしる。すると、アーロンの妻が「そんな風に言っちゃいけないわ。私たち皆、神様が創造してくださった、アダムとイヴの子孫じゃないの。ひとつの家族なのよ。ファラオだってそうよ」。そこでアーロン、答えていわく、「その通りさ、ただし、ファラオは、お前の家系だよ」（『ユダヤ人のユーモア百科事典』）。

また、ウィルヘルムは自らの失敗続きの人生を、父親や妻やタムキン博士に対して、そしてホロコースト生存者のパールズ氏に対して、語るのである。その口調はもどかしく、そしてその内容は悲惨であるかもしれないが、われわれ読者は、そしておそらく作者ベローは、その様子をユーモアのレンズを通して眺めているのである。

ここでひとつの比較として、バーナード・マラマッドの『アシスタント』を挙げよう。この中で善良な雑貨店主モリス・ボーバーは、日々十六時間働いても貧困に苦しんでいる。大不況下のことであり、それは確かにうなずける面もあるが、それにしても日々十六時間も勤めているのに、十分食べてゆけないということは、ある意味で喜劇的ではないか。

ただし、これには更なる見方が可能であろう。すなわち、ロシアより移民として渡米したモリスは、おそらく手提げの行商、手押し車の行商、荷馬車の行商へと進み、コツコツと小金をためて雑貨店を購入し、ユダヤ人の貧民街から抜け出したのである。これはそれなりにひとつの成功物語である。また、貧しいとは言っても、彼の雑貨店は地下室を備え、間借り人を置く部屋さえある。

そこで、モリスの世代は、残念ながら、彼の性格や大不況の影響によって、これ以上の成功を望めないとしても、彼のアシスタントとなり、おそらく彼の娘ヘレンと紆余曲折の末に一緒になり、店を継ぐかもしれないフランク・アルパインの世代はどうであろうか。モリスよりはるかに創意工夫に富み、精力的である彼は、もしかしたら大不況を潜り抜け、メイシーやブルーミングデイルやギンベルのような大百貨店の経営者へとのし上がってゆくことも夢ではないかもしれない。

さて、ウィルヘルムの場合、不完全な者同士でも、そこでは愛によって結ばれるという、万物の相互関連を説くカバラー思想を思わせる「より大きな存在」を覚える。また、ユダヤ人にとって再生をもたらすかもしれない贖罪の日（ヨム・キプール）に近づき、見知らぬ死者に遭遇する最終場面において、新たな人生の可能性を示唆してゆくのである。

6　ウィルヘルムの今後

最終場面で、心の内なる障壁が取れたかのように思えるウィルヘルムは、目くるめく光が存在する世界に沈んでゆく。その光は、「無限なる者」の輝ける海に飛び込んでゆく様子をわれわれに連想させよう。箴言二十章二十七節にもあるように、ウィルヘルムの精神は、「主の明かりのように、彼の心の内奥をくまなく照らし」てくれるよう祈るものである。彼は、自らの心の奥底に向かって深く降りてゆき、やがて高次の意識に達することであろう。そして、そのように高められた境地に達してこそ、広大な天界の輝かしい調和を会得し、それを味わうことができるであろう。

ウィルヘルムはこれまでの人生において、自己の深い核となる部分に寄り添って物事を決定したことがなかったかもしれない。そうであるならば、これまでの人生の「清算日」において、偶然にも他者の死に遭遇して大いなる涙に洗われ、自己の深い部分に沈んでゆくように見える最終場面は、彼の今後の人生の変容を示唆しているのではないか。すなわち、彼は再び浮かび上がってくるときに、自己の核となる部分に寄り添って、今後の人生を修復（ティックン）してゆくのではないであろうか。

ユダヤ神秘主義カバラーが強調するものの中に、生きることの集中とその方向付けがある。これをウィルヘルムに当てはめてみよう。彼は、よく見れば、豊かな感情や想像力など素晴らしい潜在能力を秘めているのである。ただ、惜しいかな、気持ちが拡散し過ぎている。もし、彼が優先事項に集中して人生に方向付けを得られたなら、素晴らしい成果を出すことも可能であろう。『この日をつかめ』を通読して感じることのひとつは、集中と方向付けの大切さであり、それはカバラーが繰り返し説いていることである。精神を覚醒し、方向付けを定め、自己の核に添って優先事項となるものに集中せよ。これがウィルヘルムに対して、作者が訴えていることではないであろうか。

ウィルヘルムは、「人が希望して変われることは実に少ない」と嘆く。これは、八方塞の彼としては、正直な気持ちかもしれない。しかし、ユダヤ人の歴史を振り返るならば、彼らはしばしば危機的な状況に追い込まれ、尻に火がついたような状態に陥り、そこで変わらねば存続できない状況を幾度もくぐってきたのではないだろうか。それは、流浪にしても、迫害にしても、イスラエル建国に関しても然りである。同様にして、「清算日」を迎えたウィルヘルムも待ったなしの状況に追い込まれ、自己の深い核へと沈んでゆく過程を経て、変容するのではないであろうか。

それでは、人は何を持って物事に集中できるか。そのひとつの答えは、死に直面し、死を意識し、翻って生を愛することであろう。死に直面することは、『この日をつかめ』のみでなく、ベローのほかの作品においても重要な局面を形成しており、また、ベローは『ソール・ベローとの対話』においても死を想うことでもたらされる心理的な影響を繰り返し述べている。死を意識する人は、自己管理や時間管理に厳しくなるであろう。「されば、人、死を憎まば、生を愛すべし。存命の喜び、日々に楽しまざらんや」（兼好法師）。これまでのウィルヘルムのように、闇雲に物事に突き進み、精力を拡散させ浪費する生き方は、修正されてゆくであろう。まだ四十代の半ばであり、精力にあふれた彼のことであるから、今後の希望が無いとは言えない。

ちなみに、日本の古典をこよなく愛した作家、中野孝次は説く、「死はただちにくるというこの一事を、人は何よりもまず心に置かねばいけない。人がもし本当に死を憎むのなら、生きてある今を愛せ。自分は何が一番したいのか、優先事項を決定し、自分にとって一日が全人生であるかのように生きよ」（『すらすら読める「徒然草」』）。「人は死の自覚あってこそ生が輝く」（『いのちの作法』）と。

こうした最終場面は、カバラーの説く人生の神聖さ、高次の意識に至る人の可能性を表わしていると思われる。

7　おわりに

『この日をつかめ』は、父親と息子の関係、夫婦の関係、詐欺師との関係をユーモアに包み、シュレミールの中に潜む潜在能力をユダヤ神秘主義カバラーと絡めて描写したことによって、人の可能性を読者の心に刻み込む作品と言えようか。

実際、各人はその人生においてもいくつかの変貌を遂げるであろうし、それは各世代が特有の大きな事件を体験して変容を遂げることにも似ているであろう。人は変貌を遂げる過程において、神の摂理を感じ、各人に与えられた使命を覚え、より深い自己の理解や人生の目的に目覚めることもあろう。

ウィルヘルムの物語は、『雨の王ヘンダソン』や『ハーツォグ』など、奮闘の果てに集中すべきものを見出す作品内容を強く連想させるものである。

引用・参考文献

Bellow, Saul. *Seize the Day.* New York: The Viking Press, 1956.

——. *Henderson the Rain King.* New York: The Viking Press, 1959.

——. *Herzog.* New York: The Viking Press, 1964.

——. *The Bellarosa Connection.* Middlesex: Penguin Books, 1970.

Cohen, Abraham.*Everyman's Talmud: The Major Teachings of the Rabbinic Sages.* New York: Schocken Books, 1949.

Cronin, Gloria L. & Siegel, Ben eds. *Conversations with Saul Bellow.* Jackson: UP of Mississippi, 1994.

Hoffman, Edward. *The Way of Splendor.* Boston & London: Shambhala, 1981.

——.ed.*Opening the Inner Gates.* Boston: Shambhala, 1995.

——.ed. ***The Kabbalah Reader.*** Boston: Trumpeter, 2010.

Holy Bible. New King James Version. Nashville: Thomas Nelson, Inc., 1892.

Malamud, Bernard. ***The Assistant.*** New York: Farrar, Straus & Giroux, 1957.

Matt, Daniel Chanan. trans. ***Zohar: The Book of Enlightenment.*** New Jersey: Paulist Press, 1983.

Miller, Arthur. ***Death of a Salesman.*** Middlesex: Penguin Books, 1949.

Sachar, Howard M. ***A History of the Jews in America.*** New York: Alfred A. Knopf, 1992.

Scholem, Gershom. ***Major Trends in Jewish Mysticism.*** New York: Schocken Books, 1946.

Schulberg, Budd. ***What Makes Sammy Run?*** New York: Random House, 1941.

Schwartz, Howard. ***Lilith's Cave.*** New York: Oxford Press, 1988.

——. ***Gabriel's Palace.*** New York: Oxford UP, 1993.

Spalding, Henry D. ed. ***Encyclopedia of Jewish Humor.*** New York: Jonathan David

Publishers, 1969.
Steinsaltz, Adin. *The Tales of Rabbi Nachman of Bratslav.* New Jersey: Jason Aronson Inc., 1979.
――. *The Candle of God: Discourses on Chasidic Thought.* New York: Jason Aronson, 1998.
Tikkun. Volume19 Number 4.　Berkeley: George & Trish Vradenburg, 2004.
エルンスト・ミュラー編訳『ゾーハル』石丸昭二訳、法政大学出版局、二〇一二年。
ジョンソン、ポール『ユダヤ人の歴史』（上・下巻）石田友雄監修、阿川尚之ほか訳、徳間書店、一九九九年。
中野孝次『すらすら読める「徒然草」』講談社、二〇〇四年。
――『いのちの作法』青春出版社、二〇一二年。
日本聖書協会『聖書』一九五五年。
ホフマン、エドワード『カバラー心理学』村本詔司・今西康子訳、人文書院、二〇〇六年。

ロス、シーセル『ユダヤ人の歴史』長谷川眞・安積鋭二訳、みすず書房、一九六六年。

第8章　アイザック・バシェヴィス・シンガーとユダヤ神秘主義

1　はじめに

アイザック・バシェヴィス・シンガーの作品の特質を三点挙げるとすれば、それは、十七世紀より二十世紀に至る東欧の歴史を作品に織り交ぜていること、ヒトラー、ナチスによって失われた亡霊の世界を描いていること、そして流浪のユダヤ人の思想や生き方を表わしていること、になろうか。

これらに加えて、シンガーの作品には神秘主義の傾向が顕著である。実際、流浪のユダヤ人を精神的に支えたユダヤ教には、世間の不条理に対する反動として合理主義が主流であるが、それでも合理主義よりこぼれてしまうものを見極めようとする神秘主義の流れを無視することはできない。

われわれの人生を眺めても、すべてに合理主義で対応できるわけではなく、神秘主義に頼ることも少なくない。人は、完全に合理的でも完全に不合理でもなく、いわば両者を不完全に合体した存在である。したがって、われわれの存在は、合理的に運営される場合もあろうが、しばしば盲目的で不合理で悪魔的な力によって支配されることもあり得る。そこで、しばしば合理主義の範疇を超えた領域において、われわれの不合理な精神を象徴する悪霊が飛び交うのである。

ユダヤ教における神秘主義とは、アディン・スタインサルツ、ゲルショム・ショーレム、エドワード・ホフマンらの研究によれば、聖典にさらに隠された意味があるのではないかと探求し、神のイメージに似せて創造された人が、日々の瞑想や鍛錬によってその潜在能力を高次の次元にまで覚醒させようと努めるものである。すなわち、神秘主義は、人を日常性から解放し、一種の極限状況へと導き、そこで新たなものの見方や考え方を示唆してくれよう。神秘主義は、人生においても、聖典においても、すべてに深い意味、隠された意味を探求しようとするのである。

シンガーの場合、その神秘主義とは、聖書やタルムードに加えて、十七世紀より東欧で盛んになったユダヤ教神秘主義ハシディズム、ハシディズムの創始者の曾孫ラビ・ナフマンの物語、創造の器より飛散した神の聖なる光を集めよと説くイツハク・ルーリヤの神話、そしてハワード・シュワルツが編纂したユダヤ民話などに影響を受けているものであろう。

実際、シンガーは、ハシディズムの創始者バル・シェム・トヴを『天国への道』で描き、ラビ・ナフマンにしばしば作品で言及し、イツハク・ルーリヤの説く「崩壊した創造の器より飛散した聖なる光を集めよという人の使命」を論じ、ハワード・シュワルツの編纂した民話を髣髴とさせる作品を紡いでいる。こうした神秘主義の要素は、シンガーの世界を広げ、その内容を深め、読者の想像力を掻き立ててくれる。

また、シンガーは、自伝的な作品『父の法廷裁判所』や『喜びの一日』などで、「神の存在とは？」「宇宙の果てとは？」「善悪の戦いとは？」など永遠の問いを繰返しているが、こうした神秘への尽きせぬ問いが彼の神秘主義を彩っている。

さらに、シンガーが成長した東欧のユダヤ人町（シュテトル）には、迷信が深く根付いていたが、それも彼の神秘主義に影響を及ぼしていることであろう。

シンガーが描くシュテトルの人々や東欧移民には、啓蒙思想（ハスカラー）やシオニズムや社会主義などの思想が及んでいたとはいえ、神は彼らの大部分にとってまだ重要な存在であった。彼らは神を探し求め、神と論争し、揺り籠より墓場まで続く善悪の葛藤の中に生きていた。そして、シンガー自身はと言えば、宇宙の創造主である神の存在やその神秘的な導きの御手を信じているが、いっぽう、ホロコーストを黙認したかのように思える神の慈悲を疑い、神に対する「抵抗の宗教」を唱えているのである。

また、シンガーの神秘主義は、ホロコーストとも深く関連していよう。そこには、ホロコースト以後、大きな悲劇によって生じた閉塞感より脱し、それを黙認したかのように思える神を探求し、ホロコーストによって顕著となった人の残虐性を抑制し、神のイメージに似せて創造された人の積極的な潜在能力を掘り起こそうとする願いも含まれているのではないか。

シンガーの作品を読むわれわれとしては、合理主義によって戒律を可能な限り守り、それによって自律性や秩序を獲得し、加えて神秘主義によって聖典の隠された深い意味を探り、潜在能力の充足を求める生き方が望まれよう。すなわち、合理主義と神秘主義を組み合わせることによって、われわれの自己理解は深まり、自己管理や時間管理も促進され、生産性も向上するのではないか。

それでは、こうした基礎事項を踏まえた上で、シンガーの神秘主義の特質と思える以下の七項目を検討してゆきたい。

2　夜の闇と世界の闇と心の闇

昔、夜は暗かった。月の光を除けば、家の内外に灯りは乏しく、昔の人々は夜に対して畏れを抱いていたことであろう。そうした暗闇の中で、以下のような事柄も生じたのである。たとえば、「創世記」二十九章において、ヤコブは暗闇の中で、ラバンの長女レアを次女ラケルと間違えて交わってしまう。また、光源氏が空蝉のつもりで別の女性を誤って犯してしまった話も、やはり灯りのない闇の中の出来事であった。さらに、『徒然草』第八十九段では、ある法師が人を食うという「猫また」を恐れながら歩いていると、飼い犬が闇の中で主人を見分けて飛びついてきたが、それを猫またと間違えて恐れおののき、川へ落ちてしまったのである。

『短い金曜日』所収のシンガーの短編「タイベリと悪魔」の場合、タイベリが悪魔の正体を見抜けず、いわゆる悪魔と人間女性との交わりが展開する物語は、東欧のユダヤ人町（シュテトル）の夜の闇があったればこそ成立するのである。

また、日本の辺鄙な地方を旅した英国女性イサベラ・バードが見聞したように「百姓たちは、悪霊などを恐れて夜道に出ることを嫌う」（『日本奥地紀行』）が、こうした傾向は、シュテトルにも共通していたことであろう。

現代でも村上春樹は言う。「都市が街灯とネオンサインとショーウィンドウの照明を使って大地から闇を引き剥がすまでは、世界はこのような息も詰まるほどの暗黒に満ちていたはずなのだ」（『世界の終わりとハードボイルド・ワンダーランド』上巻）と。なるほど、「私たちの日常から夜への畏れが消え去って久しい」（『百鬼夜行の見える都市』）とは言え、「外の世界の闇はすっかり消えてしまったけれど、心の闇はほとんどそのまま残っている」（『海辺のカフカ』上巻）という状況は、相変わらず事実なのである。

シンガーの作品においても心の闇を象徴する存在として悪魔や悪霊が登場してくる。悪霊は、まさに人の心の象徴であり、人の行動に影響を及ぼす要因である。換言すれば、「鬼は絶対的な実在ではなく、人間の心を照らす鏡のようなもの」（『百鬼夜行の見える都市』）であり、心の鬼は、「人の心を責めるもの、良心の呵責、気のとがめ、疑心暗鬼」（同上）なのである。

シンガーは言う、目に見えるもの、科学的に証明されるもの、合理的に証明されるもののみが現実なのではない。細菌のようにたとえ目に見えなくとも存在しているものがあるのではないか。同様に、霊は、目に見えなくても存在しているのではないか（『愛と流浪』）と。ちなみに、伝道の書十二章七節において、肉体と霊魂をこのように語っている、「ちりは、もとのように土に帰り、霊はこれを授けた神に帰る」と。

たとえば『熱情』所収の短編「冒険」において、亡くなった息子の目に見えない霊によって、その両親の行動や語り手の行動が影響を受けている。また、シンガー自身は、時折疑いながらも、霊を呼び出してその語りを聞くという「交霊会」への関心を継続的に表わしている。

さらに交霊会に関して、シンガーの作品には、『シャーロック・ホームズ』の作者コナン・ドイルや魔術師フーデニが言及されている。超自然現象や交霊会を信奉していたコナン・ドイルは、フーデニと親交を結ぶが、いっぽう、フーデニは超自然現象に疑いを抱き、交霊会のトリックを見破ろうと働き、超自然現象に疑いを呈する著作も発表しているのである(『フーデニ』)。

3 生者と死者の世界の融合

次に、シンガーの神秘主義の表れとして生者と死者の世界の融合が指摘されよう。たとえば、『短い金曜日』所収の「ブラウンズヴィルでの結婚」において交通事故に遭った医師は、死後の意識の中で結婚式に参列するが、そこではホロコーストの犠牲者が甦るのである。

ただし、われわれの生きる世界においても生者と死者の境界は曖昧ではないか。実際、われわれは死者の思い出を抱えて生き、意識の中で死者と語らいながら暮らし、また、書物を通して過去の魂と対話しながら過ごしている。さらに、聖書を愛読する人にとっては、たとえば、アブラハムやモーセやダビデは、自らの祖父のように、あるいはそれ以上に、親密な存在であるのかもしれない。したがって、死者たちは、生者の生活に様々な影響を与え続けているのである。シンガーは、小説『人間のくず』において「死者たちの霊魂もわれわれの生活の一部である」と言う。僕自身も朝夕、仏壇の前に正座し、祖先の霊に語りかけているが、こうした日々の「儀式」を通して、先祖の霊にいろいろと影響を受けていることを否定できない。死者の魂は、細菌のように、目に見えなくとも、存在しているのではないか。

4　死者の霊（ディブック）

シンガーの作品においては、死者の霊（ディブック）が生者に取り憑くことが多い。たとえば、『昔の愛』所収の「ブラジルの一夜」において、レナという女性はディブックが体内に侵入していると言う。また、『ゴライの悪魔』はシンガーの作家としての方向性を示した作品であるが、そこでディブックが娘に取り憑く。また、『交霊会』所収の「世に亡きヴァイオリン弾き」では、男女のディブックが人に取り憑く。さらに、前述した『熱情』所収の「魔女」では、抑えがたい欲求に捉われたか、あるいはディブックに取り憑かれたか、と主人公の心理を分析している。ちなみに、シンガーに影響を与えたイディッシュ文学においては、S．アンスキーの『ディブック』が有名であり、そこではユダヤ共同体に生じる悪と、その是正を描く。現代では、娘に取り憑いたディブックを描くウィリアム・ブラティの『エクソシスト』が映画化もされ有名である。

ユダヤ教神秘主義におけるこうしたディブックは、日本文学において生霊や死霊が飛び交う『源氏物語』や『雨月物語』やラフカディオ・ハーンの『怪談』などの古典を連想させよう。

また、今日においても、神秘主義が窺える村上春樹の『ねじまき鳥クロニクル』や『1Q84』が書かれており、その神秘的で奥深い世界の魅力によって多くの読者を獲得している。

5　ハワード・シュワルツ編纂の民話とシンガー

いっぽう、ミズーリ大学教授のハワード・シュワルツは、多くのユダヤ民話を編纂している。たとえば、『リリスの洞窟』、『ガブリエルの宮殿』、『骨に訊け』、『ダイヤモンドの樹』、『エリアのヴァイオリン』、『アダムの霊魂』などである。

彼の著作では、悪魔の王アズモディウス、その妻リリス、人に取り憑く死霊（ディブック）、悪魔と人間が結婚する物語、プラハのラビ・レーヴが創造した人造人間ゴーレム、などの民話が盛られているが、それを味わっていると、あたかもシンガーを読んでいるかのような錯覚に陥ることがある。シンガーやほかのユダヤ系作家たちは、ユダヤ民話より多くの素材を得ているのに違いない。

6　三十六人の隠れた義人の伝説

ユダヤ伝説によれば、この世を支える三十六人の隠れた義人が存在するという。この伝説は、人に精神的な成長を促し、世界を眺める精神的な意味を高め、世界の救済の願望へとつながってゆく。ソドムの運命を賭けてアブラハムが神と交渉する創世記十八章二十三―三十三節にも関わる義人の伝説は、彼らの隠れた連絡網や協力体制によって世界の救済を求めていることを示しているのである。ところで、義人の外見は、普通の平凡な人のようであり、このことは、われわれが日常性を眺める視野を高めてくれるかもしれない。

シンガーの童話『ゴーレム』にもこうした義人が現れて、精神的な指導者ラビに対して、迫害に見舞われたゲットーのユダヤ人を危機的状況から救うために人造人間ゴーレムを創造するよう勧めるのである。

7　ゴーレムの伝説

プラハのゴーレム伝説は、十六世紀のラビ・レーヴ（別称マハラル）と関わるものである。彼は『創造の書』に基づいて人造人間ゴーレムを創造し、危機に瀕したゲットーのユダヤ人を救ったという。ただし、ラビ・レーヴのような義人であっても、生物の創造は神の領域に属することであり、それ故に、首尾よくゴーレムを動かすことができたとしても、そのゴーレムに魂や言語能力を授けることは無理であった。したがって、ゴーレムは言葉を話すことはできなかったが、それを創造した者の言葉を理解し、その命令に従うことは可能であった。そこで首尾よく使命を果たしたゴーレムは、いまだにプラハのシナゴーグの屋根裏部屋で眠っているという。

前述したように、シンガーの童話『ゴーレム』においても人造人間は同様に切羽詰ったユダヤ共同体を救うが、ただし、シンガーのゴーレムは、話すことを学び、孤独であることを哀しみ、人間の女性に恋をし、次第に人間に近い存在となってゆくのである。

ゴーレムは、シンガーの作品中、『ゴライの悪魔』や『奴隷』や『カフカの友人』などでも言及されている。

8　神の導きの御手

たとえば、ヨブ記に見るように、神がなさることは一時点のある現象を見ても分からず、それは、長い目で見なければ判明し得ないものである。シンガーの『奴隷』、『ルブリンの魔術師』、『悔悟者』などにおいて、主人公たちは紆余曲折の果てに神の見えざる御手の導きを感じるのである。

『I．B．シンガーとの対話』でも、「宇宙の創造は決して偶然のものではなく、そこには何らかの摂理が働いている」という信念をシンガーは一貫して保持している。高次の力を信じる彼の気持ちは変わらないのである。

『昔の愛』所収の「カブトムシの仲間」では、危機に陥った主人公が宇宙をつかさどる力によってもうひとつの機会を与えられる。また、『人間のくず』においてさえ、神秘主義者の愛人を持つ主人公は、神への信仰と疑惑の間を揺れ動くが、それでも自己を超越した力によって操られていると思うのである。

9　おわりに

シンガーは、聖書やタルムードやハシディズムやラビ・ナフマンやユダヤ民話などより集めた物語、十七世紀より二十世紀に至るユダヤ人の歴史、彼自身の体験や他人から耳にした物語などを織り交ぜて豊かな創造世界を形成した。短編にせよ長編にせよ童話にせよ、それらは何回もの再読に耐え得る力作であり名作である。常にこんこんと湧き出てくる物語の豊かさは誠にうらやましいが、シンガーは豊かな物語性を体現した偉大な作家であると改めて思う。

神秘主義と合理主義の混在した、天使や悪霊が飛び交う、善と悪が戦うシンガーの物語が読者を惹きつけ、それは、理想や完全にほど遠い現世における人生の営みに対して何がしかの示唆をわれわれに与え続けてくれるのである。

人は合理主義のみで人生を営むことはできないし、神秘主義にのみ頼って自己管理をすることも無理である。両者を合わせたところに、たとえ不完全な形であるにせよ、人生の妙味がにじみ出てくるのであろう。

シンガーは、ヒトラーによって滅ぼされた亡霊の世界を描いているが、そうした彼の創作は、われわれ自身の目に見えず、知覚できない世界がどこかに存在するのではないかということを、おぼろげながら感じさせてくれる。たとえば、『メシュガー』などにおいて、シンガーは、死とはひとつの局面よりもうひとつの局面への移動に過ぎないと言う。シンガーの名作「馬鹿者ギンペル」では、乞食となって流浪する晩年の主人公は、「天からお迎えが来るときには、喜んで赴こう」という悟りと来世への期待を述べている。われわれの目に見えない細菌が顕微鏡の発明によってその存在を明らかにしたように、いつの日か霊魂を眺めることのできる顕微鏡が新たに考え出されるのであろうか。目に見えない世界を感じさせるシンガーの神秘主義によって、些事に振り回されることの多い人生の悲喜劇にも新たな意味が付与されるかもしれない。

引用・参考文献

Ansky, S. ***The Dybbuk and Other Writings.*** New York: Schocken Books, 1992.

Blatty, William P. ***The Exorcist.*** New York: A Bantam Book, 1971.

Christopher, Milbourne. ***Houdini.*** New York: Gramercy Books, 1976.

Hearn, Lafcadio. ***Kwaidan.*** Tokyo: Charles E. Tuttle Company, 1971.

Hoffman, Edward. ***The Way of Splendor.*** Boston: Shambhala, 1981.

——. ***Despite All Odds.*** New York: Simon & Shuster, 1991.

——. ***Opening the Inner Gates.*** Boston: Shambhala, 1995.

——. ***The Heavenly Ladder.*** Newton: Prism Press, 1996.

——. ***The Kabbalah Reader.*** Boston: Trumpeter, 2010.

Scholem, Gershom. ***Major Trends in Jewish Mysticism.*** New York: Schocken Books,

1946.

——ed. *Zohar: The Book of Splendor.* New York: Schocken Books, 1949.

Schwartz, Howard. *Elijah's Violin & Other Stories.* New York: Harper & Row, 1983.

——. *Gates to the New City.* New Jersey: Jason Aronson, 1983.

——. *Lilith's Cave.* New York: Oxford UP, 1988.

——. *The Diamond Tree.* New York: Harper Collins, 1991.

——. *Adam's Soul.* New Jersey: Jason Aronson, 1992.

——. *Gabriel's Palace.* New York: Harvard UP, 1993.

——. *Ask the Bones.* New York: Puffin Books, 1999.

Singer, Isaac Bashevis. *Satan in Goray.* New York: Farrar, Straus and Giroux, 1955.

——. *Gimpel the Fool and Other Stories.* New York: Farrar, Straus & Giroux, 1957.

——. *The Slave.* Middlesex: Penguin Books, 1962.

——. *In My Father's Court*. New York: Farrar, Straus & Giroux, 1966.
——. *The Séance and Other Stories*. Middlesex: Penguin Books, 1968.
——. *An Isaac Bashevis Singer Reader*（*The Magician of Lublin* を含む）. New York: Farrar, Straus & Giroux, 1971.
——. *Shosha*. New York: Fawcett Crest, 1978.
——. *Old Love*. New York: Farrar, Straus & Giroux, 1979.
——. *Reaches of Heaven*. New York: Farrar, Straus & Giroux, 1980.
——. *The Golem*. New York: Farrar, Straus & Giroux, 1982.
——. *The Penitent*. New York: Farrar, Straus & Giroux, 1983.
——. *Love and Exile*. New York: Doubleday & Company, 1984.
——. *Scum*. New York: Farrar, Straus & Giroux, 1991.
——. *Meshugah*. New York: A Plume Book, 1994.
Steinsaltz, Adin. *The Tales of Rabbi Nachman of Bratslav*. New Jersey: Jason Aronson, 1979.

Wiesel, Elie. *Somewhere—A Master.* New York: Summit Books, 1982.

上田秋成『雨月物語　春雨物語』円地文子訳・河出文庫、二〇〇八年。

小松和彦編『憑きもの』河出書房新社、二〇〇〇年。

田中貴子『百鬼夜行の見える都市』新曜社、一九九四年。

谷川健一『魔の系譜』講談社学術文庫、一九八四年。

中野孝次『すらすら読める「徒然草」』講談社、二〇〇四年。

村上春樹『世界の終わりとハードボイルド・ワンダーランド』(上・下巻)新潮文庫、一九八五年。

――『ねじまき鳥クロニクル』(第1~3部)新潮文庫、一九九三~九五年。

――『海辺のカフカ』(上・下巻)新潮文庫、二〇〇二年。

――『1Q84』(Book　1~3)新潮文庫、二〇〇九~一〇年。

紫式部『源氏物語』(巻1~2)瀬戸内寂聴訳・講談社文庫、二〇〇七年。

第9章　ユダヤ人の合理主義と神秘主義

1　はじめに

ユダヤ教は基本的に合理主義であると言われるが、少数派とはいえ神秘主義も否定できない。六一三と言われるユダヤ教の戒律は、人の生涯を合理的に運営するために有益な枠組みであり、それが差別と迫害の歴史を潜り抜け、ユダヤ人が存続してきた要因の一つであるに違いない。ユダヤ人は、不条理な歴史や外部の逆境にもかかわらず、戒律によって合理的で豊かで自由な内面世界を構築し、そうした精神性の豊かさが彼らの存続に寄与したのだ。

ただし、人は矛盾を含み、善悪に揺れ動く生き物であるから、合理主義のみでは生涯を渡れまい。フロイトも「理性的なものは心的生活の一部分に過ぎない」（『フロイト著作集』）と言う。実際、われわれは理性的になろうと欲しながら、多くの場面において非理性的な言動を重ねたり、内面の激情に身をゆだねたりしている。それは、ユダヤ人も例外ではあるまい。そして、それは、たとえば、アイザック・バシェヴィス・シンガーの『熱情』など、ユダヤ系の文学作品などにもしばしば描かれていることである。

客観的に見れば、人は、まったく合理的でも非合理的でもなく、その中間であろう。人は人生経験を積む中で、物事は必ずしも合理的に進むものではなく、また、物事を黒白にきちんと分けられるものでもなく、中間色が存在すると思うのだ。そして個人の力を超えた神秘的な力が働いているのではないか、と感じる機会が、増えてくることだろう。

結局、人が生涯を渡ってゆく際、合理主義と神秘主義の均衡のとれた融合が大切になってくるのではないか。

2 戒律

まず、人を生かす飲食物に関するユダヤ人の戒律を考えてみよう。ユダヤ人は、肉体を守る目的もあるが、それ以上に精神を擁護するために飲食物の摂取に注意する。体が飲食物を求めるように、心は精神の滋養を必要とするのである。たとえば、親切心と憐みの心を守るために、獰猛なけだものの肉を食べない。すなわち肉食動物ではなく、草食動物を食べるのである。それに、専門の屠殺人によって痛みの少ないように鋭利な刃物で殺された草食動物を、適正（コシェル）として食する。その際、血に生命が宿っているものと見なし、「血を食することを禁じる」（「創世記」九章四節など）ので、血抜きをした肉を食べる。また、「子やぎをその母の乳で煮てはならない」（「出エジプト記」二十三章十九節など）ので、肉と乳製品を一緒に食べない。加えて、娯楽や運動のために、キツネ狩りなどをしない。飲食の際には、常に神に感謝の祈りをささげる。ユダヤ人の祝祭日には、それぞれ特別の料理が準備されるが、それは精神的な意義を持つものである。このように、飲食物の選択が、ユダヤ性を守ることを意味するのである。

戒律はユダヤ人にとって、生きるための具体的な指針である。それには、飲食物への配慮に加えて、個人の生命と自由、女性の権利、動物愛護、結婚、子育て、自然保護、弱者への慈善、心身の健康、生涯学習、埋葬などが含まれる。戒律は、機能する社会を維持するための具体的な案内書である。

ユダヤ教は、信仰よりも実践に重きを置く宗教であり、宗教が日常の随所に生きている。人は、神の協力者として日々の生活を運営し、生涯の運営計画を立て、現世を修復し、現世に神の国を築くことを目指すのである。戒律という実践的な人生の案内書を持つことによって、人は生きるための目安を持ち、それによって効率的で生産的な人生を営もうと努めてゆく。この際、自己の生命を守ることは、最優先事項であり、存続のためなら、戒律を破ってもよいとされる。

また、戒律は、人を悪へ誘う衝動に対して、防波堤となってくれるものであろう。戒律は人を拘束し、うっとうしい場合もあるかもしれないが、実際、人はある程度の拘束があったほうが、より良く機能できるものである。反対に、あまり自由があり過ぎると、その自由を行使できず、堕落してしまうことが多い。エーリッヒ・フロムの『自由からの逃走』にも似た意見が窺えよう。

ところで、神と呼ばれる存在が宇宙を創造したと仮定するならば、その創造には何らかの目的があったはずである。自然の万物を眺めるならば、微生物に至るまで驚くほどの精巧さを持っていることが分かる。しかし、反面、人間の世界に見るごとく、不完全な要素も数多く残されている。そこで人は神の伴侶として、現世を修復してゆくことが求められているのである。それがユダヤ教の使命であり、人がこの世に生まれた一つの大切な意義であろう。

ユダヤ教は、人に無理を求めず、超人的な要求をせず、過度の禁欲を求めない。人間以上を求めると、その反動として、人間以下に陥ることが生じやすいからである。また、アダムとイヴに起因する原罪の意識に捉われることもない。これらは、心理的に見て、生きてゆくうえで楽であろう。

六一三の戒律をすべて守ることは無理であろうが、そのいくつかを実践することが呼吸のごとく自然なものとなれば、それなくしては心身がうまく機能しないようになってゆく。このような状態になってこそ、戒律が血肉化し、習慣化したと言えるのではないか。

ユダヤ聖書は問う、「なぜ正しい者が苦しみ、不正な者が繁栄するのか」（「エレミヤ書」十二章一節など）と。実際、これは現実に見られることであろう。しかし、考えてみると、ヨブのように、正しき者は、生きる過程で苦しんだとしても、精神的に報われているのではないか。いっぽう、悪事を働く者は、たとえ一時的に繁栄したとしても、一度きりの貴重な人生を悪事に浪費しているのである。悪はしょせん卑しいものであり、限られた人生における取り返しのつかない浪費であり、そのことによって、悪人は十分に罰せられているのではないか。

このように、善悪や処罰や恩寵の問題は、ユダヤ教においては、仏教における輪廻とか、キリスト教における天国と地獄の考えとは異なる。

前述したように、戒律は、日々を運営する実践的な案内書の役割を果たす。「戒律がなければ、文明は成立しない」(『レオ・ロステンのユダヤ箴言の宝典』)というが、戒律が欠ければ、この世は砂漠同然となり、人は自らの行為をいかようにも正当化してしまうであろう。「人は人として創造されても、なお神の戒律に従って自らを高めてこそ真の人に近づくのである」(『ユダヤ教の本質』)。

聖書(トーラー)は砂漠で与えられたというが、その意味は深い。トーラーは戒律を語り、砂漠を肥沃な土地に変えるのである。また、聖書は、誰のものでもない砂漠で与えられたのであるから、換言するならば、聖書は誰のものでもある。森や泉や古木の祠がある場所ならば、そこには神々や精霊が住むという、多神教が考えられたかもしれないが、広大で不毛な砂漠においては唯一神が存在する、という信仰が芽生えたのである。

ユダヤ教は、宇宙の創造主、全能の神を信仰する一神教である。なぜ一神教かということは、それが広大な砂漠で与えられたことを考えると、頷けよう。砂漠を流浪していた多くの集団を統一するために絶対神が必要だったのである。仮に多神教であったならば、砂漠の異集団をまとめることは困難であったことだろう。絶対神、唯一神によって与えられた戒律であるからこそ、人はそれを守ろうとするのである。唯一神には、正義、慈悲、慈愛などの属性が含まれるが、神は、親が愛する子供を叱るように、人に荒々しく振る舞うこともある。

人は、神によってこの世に生を受け、生きる場所を与えられた者として、その戒律を守って生きることを願う。神の伴侶として不完全な現世の修復に励むのである。それがユダヤ教の使命である。

修復に励むユダヤ人にとって、記憶は存続のために重要である。ユダヤ暦にちりばめられている祝祭日は、重要な出来事の記憶を宿し、それはユダヤ人の生活の運営を助け、霊感を与え、彼らを変革するものである。たとえば、安息日において、ユダヤ人は生き方を再吟味し、精神を充電する。安息日は、人生という食べ物を美味にする香辛料のようであり、「安息日がユダヤ人の存続を助けた」と言われている。

また、記憶とともに、聖典学習が、そして生涯学習が、ユダヤ人の存続を助けてきた。ユダヤ人は、ショレム・アレイヘムの『テヴィエの娘たち』に描かれる牛乳屋テヴィエのように、聖書やタルムードを日々少しずつ読み、繰り返し問いかけ、神とさえ一対一で論争する。ユダヤ教会堂（シナゴーグ）で定期的にモーセ五書を読み、ユダヤ人としての生き方を学び、正しい方向へと進む。聖典を再読することで新たな発見があり、また、新たな状況が生じる中で、新たな解釈も生まれる。

聖書の注解タルムードやその他の説話において、ラビや学者は神の戒律に関して様々に論じている。聖書に加えてそれらを読むユダヤ人は、さらに神の意志を探り、それに従って生きようと努めるのである。ユダヤ人は、神と人の叡智を結び付けるラビや学者を、神の言葉を伝える預言者よりも貴ぶ。

学ぶことで、生きることを学ぶ。それがユダヤ人の存続の秘訣である。彼らにとって、聖典学習は、神の叡智を求める生涯学習である。日々少なくとも一時間ずつタルムードを一頁ずつ真剣に学べば、七年を超えれば一応終了できるという。また、「ユダヤ人として生まれたからには、少なくとも一つの新たな聖書の解釈を加えるよう求められる」（『ユダヤ教入門』）という。

通常、ユダヤ人の家庭には本がぎっしりと詰まった本棚があるが、「誰からも学べる人が賢く、自らの邪心を克服できる人が強く、自らの境遇に満足している人が幸福である」（『生きているタルムード』）という。

3　現世主義

教育と存続との関わりに加えて、「創世記」（一章二十八節）にあるように、結婚は人の存続のために重要である。結婚し子供を持つことは、死後の生命を意味している。特に東欧ユダヤ人の場合、子供に故人にちなんだ名前をつけることが多いが、それは民族の存続を願う気持ちを表している。

ユダヤ教は、人生を楽しむことを尊び、喜びを持って神に仕えることを望む。禁欲を是とせず、人が独身でいることをよしとしない。結婚生活は心身ともに有益であり、性生活は結婚生活の幸福の要素である。そこで未婚の人は、「半分人間」（『ユダヤ教案内』）と見なされることがある。

ユダヤ教は現世主義である。来世とは、まだ見た者もなく、そこから帰還した者もなく、信じられる対象とはなりえない。そこで、戒律に従って善行を成すのであれば、あくまで現世でそれを成すことに努める。その報いを来世に期待してはいけない。仮に死後を考えるとしても、それは子供たちに受け継がれるものであったり、死後に残る影響であったり、人々に残る記憶であったりする。これは極めて合理的な考えである。

現世は完全ではなく、矛盾も多いが、人は神の伴侶として、現世の修復に従事して生きる。人が生きているのは現世であるから、それを少しでも良いものに修復しようと努める。人は神に似せて創造されたのであるから、神性を持ち、したがって創造を心掛けるべきであろう。自分が潜在能力を発揮して創造的に生きるのでなければ、誰がそれをしてくれるだろうか。現世での慈善や善行を重視し、収入の一割を貧しき者に与え、病人を見舞う。事業で成功した人は、その利益を慈善に振り向け、美術館・博物館・大学などを建て、病院を建設する。慈善や相互援助組織を通じて現世の修復を図るのである。

　前述したように、来世は存在するかどうかわからない。あてにならないものに心を奪われるより、現世において懸命の努力を傾ける。また、死に関して悩むよりも、「いま、ここに」生きることに最大限の努力を払う。これらは非常に合理的な思考である。「ユダヤ教は来世に満足を見出すより、現世に生きることを強調するものであり……死について心配するより生きることに精力を注ぐ」（『ユダヤ人の生き方』）。

　差別や迫害にもかかわらず、ユダヤ教は、楽観的な思想である。「神がなされることは、すべてよきことかな」と信じ、神の伴侶として現世を修復してゆこうという目安を持つ。「ユダヤ教の楽観主義は、悪の偏在にもかかわらず、現世を修復し、善の達成を求めるその態度に起因している」(『ユダヤ教の本質』)という。この世に生を受けた者として、自らや隣人たちや歴史に対して責任を持つ。歴史は、同じことの繰り返しではなく、ある目的に向かって進む直線的なものである、という歴史観を持つ(『ユダヤ人の歴史』)。それは進歩の思想である。人は善悪の判断をしながら、生きる存在である。罪を犯しても、懺悔すれば救われ、再生できるのである。この世を精いっぱい生きるよう努めねばならない。ユダヤ教は、世界に進歩の思想を与えたが、イスラエルで繁栄しているハイテク産業・農業は、その進歩思想の表われであり、また、ドラッカーが説く変革(イノベーション)も同様の表われであろう。

4 生涯運営計画

ユダヤ教は、生涯をかけて理解し実践を求める宗教である。したがって、それは、必然的に人の生涯学習と生涯運営計画とに関わる。人は、さらに深く知るように、より生産的に生きるように、常に駆り立てられるのである。

人には生涯を運営するために、本能にゆだねるのみではなく、戒律が必要なのである。戒律は、ある状況でいかに振る舞うか、そして、人生に快楽、名声、権威、財産以上の意味を求めるよう、また、成功しているときにこそ、さらなる変革を考え、たとえ不遇になっても心が折れないよう、教える。

記憶と伝統に彩られた祝祭日を含むユダヤ暦も生涯運営計画の助けとなる。ユダヤ人は、過ぎ越しの祭り、仮庵の祭り、安息日など、祝祭日を通して、過去の出来事に思いをはせ、現在の生活を見直し、生き方を律してゆく。祝祭日を節目にした生涯の運営計画を構築するのである。生涯にわたって人生を再検討し、生き甲斐のある生活を目指す上で、ユダヤ人の祝祭日は、よき節目を形成しているのではないか。

以上は、ユダヤ教の道徳的・倫理的な伝統に含まれるものである。この伝統をユダヤ人は、流浪・差別・迫害の歴史を通して、守ってきたのだ。それは彼らの生涯運営計画に関わる内容であり、生き方の枠組みであった。そうした確固たる枠組みがあったればこそ、彼らは存続でき、各分野で優秀な人材を輩出してきたのではなかったか。

5 ハシディズム

前述したように、ユダヤ史には、合理主義と神秘主義という並存する流れが見られよう。十八世紀のポーランドで興ったユダヤ教神秘主義ハシディズムは、歌と踊りと歓喜をもって神に仕える。神秘主義とは、内的自己が神と交わる記録である。『ゾーハル』(『光輝の書』)は、神秘主義の重要な支えであり、他方、タルムードは、合理主義の大切な支柱である。人は、合理主義と神秘主義を合わせて、さらに豊かな存在を目指してゆくのであろう。

ハシディズムは、バル・シェム・トヴによって十八世紀の東欧に野火のように広まったという。その背景には、ラビや学者によってあまりにも微細に戒律の解釈が推し進められ、それは日常生活に追われる大衆にとって手の届かない段階になっていた、という状況があったという。ユダヤ教がラビや学者という一部の占有になって、大衆の生き方に影響を及ぼさなくなっては、やがてユダヤ教自体が衰退してしまうであろう。そこで、バル・シェム・トヴは、歌や踊り・歓喜・善行をもって神に仕えるよう人々に説いたのであった。

ハシディズムは、学者たちにとっては批判の対象であったことだろうが、大衆には大いに歓迎されるものとなり、そこにユダヤ教の復興運動が生じた。大衆にとっては、神秘的で巨大な企画が存在し、それに自分たちはささやかでも参画しているのだ、という充実感があったことだろう。

そこでユダヤ神秘主義は、ハシディズムにおいて開花する。ハシディズムの師は、説話や民話によって庶民に語りかけ、各人はそれぞれの方法で神に仕える使命を持ち、歌や踊りや歓喜によって、その潜在能力を生かすことができるのだ、また、日常生活を向上させることによって、われわれは現世の修復ができるのだ、と説いた。

十八世紀にヨーロッパに広まったハシディズムは、精神的な指導者（ツァディク）を中心として方々に集団を形成したが、そのひとつがルババヴィッチ派である。エドワード・ホフマンの『困難に立ち向かって』によれば、ルババヴィッチ派は、エルサレムに十九世紀末までに共同体を築く。第二次大戦末期には米国に移住し、ブルックリンにその本部を置く。彼らはホロコーストを生き延び、正統派の古い道を守り続けている。彼らは、神秘主義によって神に近づき、祈りや瞑想を通して内面を充実させ、夢や想像力や直感によって精神の覚醒を引き起こす。

夢は、内面の発展と高次の意識に到達するために有益である。夢は、人に叡智や洞察を得させ、意義ある活動を導き出す。人は、夢日記を記録してゆくうちに、フロイトの『夢判断』にも説かれているように、隠れた願望、幼時の記憶、抑圧した想い出など、自分の深層心理を垣間見ることがあるだろう。

世界中よりルバヴィッチ派が米国に集まり、現世の修復のために会議を開催しているという。

6 おわりに

生涯学習の重要性を認識し、なすべき優先事項を習慣化し、それを血肉化してゆくことは、合理的に考えれば可能であるが、それが必ずしも容易でないのは、不合理なわれわれの感情がその達成を妨げるからである。たとえば、優先事項を後回しにする悪い癖や、やるべき仕事を避け安易な道に流れてしまう性向である。こうした不合理性に抵抗しながら、自己を管理してゆくことは各自の務めである。

ユダヤ人は、合理主義や神秘主義という枠組みを持って流浪してきた人々である。彼らはどこかの土地にしっかり根付いた体験は少なかったかもしれないが、その精神を支える心の枠組みが存在しており、それが彼らの存続を支えてきたのである。

ユダヤ人の精神的な伝統、古い道は、捨てたものではない。たとえば、ラビによる調停裁判である。それを応用した調停は、今日でも、ユダヤ人のダイヤモンド産業で実施されているという（『ダイヤモンド物語』）。

そして、結婚仲介の制度である。未熟な若者が恋の盲目に踊らされて失敗するよりも、経験を積んだ結婚仲介人によって年齢、背景、性格など、調和のとれた二人を一緒にさせるほうが、成功率が高くなるのではないか。特に欧米での離婚率の高さを考慮した場合、ユダヤ人のこうした古い道は、再考の余地があるのではないか。

秩序があり合理があり、情愛がある。生涯を合理的に進めてゆくことが効率的であるかもしれないが、実際、人は矛盾を多く含む存在であるので、理屈だけで推し進めようとしても、破綻を引き起こすであろう。そこで、情愛によってある程度の均衡を取りながら、また、理想と現実との狭間をユーモア精神によって埋めながら、生涯運営計画を調整してゆけることを願う。

合理主義と神秘主義が補い合うことによって、人は言動の規模を大きくするであろう。神や宇宙や聖書の神秘を探求することを通して、人は問いかけることを習慣化し、それが人の生き方に影響を及ぼすであろう。また、瞑想や夢判断を通して、内面を探り、自己を知るであろう。人の生涯運営計画に、合理主義と神秘主義を組み入れることは、大切であると思われる。

引用・参考文献

Ansky, S. *The Dybbuk and Other Writings.* New York: Schocken Books, 1992.

Baeck, Leo. *The Essence of Judaism.* New York: Schocken Books, 1948.

Blech, Benjamin. *The Complete Idiot's Guide to Understanding Judaism.* New York: Alpha Books, 2003.

Goldin, Judah. *The Living Talmud.* New York: A Mentor Book, 1957.

Hoffman, Edward. *Despite All Odds: The Story of Lubavitch.* New York: Simon & Schuster, 1991.

——. *Opening the Inner Gates.* Boston: Shambhala, 1995.

——. *The Heavenly Ladder.* Dorset: Prism Press, 1996.

Holy Bible. Nashville: Thomas Nelson. 1979.

Matt, Daniel C. *Zohar.* New Jersey: The Paulist Press, 1983.
Rosten, Leo. *Treasury of Jewish Quotations.* New York: Bantam Books, 1972.
Scholem, Gershom. *Zohar.* New York: Schocken Books, 1949.
Schwartz, Howard. ed. *Elijah's Violin & Other Jewish Fairy Tales.* New York: Harper & Row, 1983.
——. *Lilith's Cave: Jewish Tales of the Supernatural.* Oxford: Oxford UP, 1988.
——. *The Diamond Tree.* New York: Harper Collins, 1991.
——. *Adam's Soul.* New Jersey: Jason Aronson, 1992.
——. *Gabriel's Palace: Jewish Mystical Tales.* Oxford: Oxford UP, 1993.
——. *Ask the Bones.* New York: Puffin Books, 1999.
Shield, Renee Rose. *Diamond Stories.* Ithaca: Cornell UP, 2002.
Singer, Isaac Bashevis. *Satan in Goray.* New York: Farrar, Straus and Giroux, 1955.
——. *Short Friday.* New York: Farrar, Straus & Giroux, 1964.

——. *The Séance and Other Stories.* Middlesex; Penguin Books, 1968.
——. *Passions and Other Stories.* Middlesex: Penguin Books, 1975.
——.*Old Love.* New York: Farrar, Straus & Giroux, 1979.
——.*The Golem.* New York: Farrar, Straus & Giroux, 1982.
——.*Scum.* New York: Farrar, Straus & Giroux, 1991.
荒井章三『ユダヤ教の誕生』講談社、一九九七年。
上田秋成『雨月物語　春雨物語』円地文子訳・河出文庫、二〇〇八年。
クシュナー、ハロルド・S『ユダヤ人の生き方』松宮克昌訳・創元社、二〇〇七年。
ジョンソン、ポール『ユダヤ人の歴史』（上・下巻）石田友雄監修・阿川尚之ほか訳・一九九九年。
フロイト、ジークムント『フロイト著作集2『夢判断』』高橋義孝訳・人文書院、一九六八年。
——『フロイト著作集1』高橋義孝訳・人文書院、一九七一年。

紫式部『源氏物語』瀬戸内寂聴訳・講談社文庫、二〇〇七年。

●ユダヤ人の伝統、古い道を求めて

第10章　回帰と希望——ソール・ベローの「黄色い家を残して」と「古い道」

1　はじめに

ベローの作品には高度に知的で論争的な内容が、思わず筆写したくなる素晴らしい文体で書かれている。その内容は、ユダヤ的な背景とともに、さらに広範な観点より人間像や生き方や知識人の問題を扱うものである。しかも、作家自身が多くの領域に関心のある知識人でありながら、知識人の持つ危うさを問う姿勢を崩すことがない。その危うさとは、しばしば自意識過剰となり、妄想に駆られ、現実に足をすくわれ、思想の悪影響を社会に及ぼしかねない知識人の盲点である。自らが巨大な知識人でありながら、知識人をあげつらうベローの特質は、「自らをあざけりや笑いの対象とするユダヤ人のユーモア」に結び付くものではないか。

そして、さらにこの点は、ベローの『宙ぶらりんの男』以降に言及されている「理想の構築物と現実との乖離」に絡んでゆく。歴史を振り返っても、宗教的な観点に立っても、また、ベローの『犠牲者』を含めた諸作品を見ても、人間は理想を追うがあまり、「人間以上」を求め過ぎ、かえって「人間以下」に陥るという皮肉を味わってきたのではないか。果たしてこの状況を、いかに改善できるのであろうか。

一つには、自らを客観視し、自らを笑う精神的な余裕を持ち、そこから望ましい人間像を問う姿勢が求められるのではないか。その点、ベローの作品には、自らを疑問視し、自らを笑い、自らの魂に問いかけ、成長し続ける人間像が読み取れよう。それが読者に与える影響は少なくない。

そこで、日々ベロー文学に親しみ、作者と知的な対話を続けながら、人間像や生き方を探ることは、意義深い楽しみであると言えよう。混迷の時代において、ベローが問う文学の役割とは、歴史の記憶とともに日常を眺め、理想の構築物を求めながら現実に留意し、人生の混交を受け入れながら希望を模索し、また対立要素の中に均衡や秩序を回復しようとする姿勢ではないか。

そこで以下、ベローの短編「黄色い家を残して」と「古い道」を読み、彼の長編や他の作家にも触れながら、そこに現れる人間像や生き方を探ってゆきたい。

2　黄色い家を誰が受け継ぐか

『モズビーの思い出』の冒頭を飾る「黄色い家を残して」は、人生で「切羽詰まった状況」に立たされた人間像を読者に提示し、老いや死について考えさせようとする内容を含む。切羽詰まった状況とは、ベローの世界では戦争に向き合う『宙ぶらりんの男』や、オールビーとの対決を迫られる『犠牲者』や、すべてに破綻し他人の死に直面する『この日をつかめ』などを連想させるが、それらはいずれも「存続への対応」を強く求められる状況である。

「黄色い家を残して」の老いた主人公ハティは、紆余曲折の「女の一生」を送り、現在、『サムラー氏の惑星』の主人公とほぼ同じ七十二歳であるが、彼女にとって切羽詰まった状況とは、現実と幻想が曖昧な状況で怠惰に暮らし、長年、飲酒運転を続けてきた結果、事故で怪我をし、西部の生活で不可欠な車の運転が無理となり、隣人の助けも限界に達し、黄色い家での独居生活が破綻をきたすことである。

老いを語る書物は、しばしば幸福の条件として、「健康」、「生きがいをもたらす仕事」、そして「気遣ってくれる周囲の人々」を挙げているが、ハティはそれらを失ってゆく。『サムラー氏の惑星』には、「日々成すべきことを迅速に果たす能力こそが、英雄や聖人を創るのだ」という言葉が見られるが、日々成すべきことを引き延ばし、ほろ酔い気分で暮らしてきたハティは、事故を契機に、切羽詰まった状況に向き合わざるを得なくなる。夫も子供も無く、技術も貯金も乏しい彼女は、自らの死の可能性も考え、まったくの強運によって手にした黄色い家を手放す状況に追い詰められてゆく。

こうした展開は、すでに作品冒頭で述べられているが、冒頭で物語を要約する形式は、『雨の王ヘンダソン』や『ハーツォグ』でも見られ、それは要約を重視する『サムラー氏の惑星』へと続いてゆく技法であろう。

ベローの作品中では珍しい女主人公であり、しかも非ユダヤ人であるハティが暮らす西部とは、内容から推定してカリフォルニアであろうか。そこは、ジャック・ロンドンが描いた金鉱探しや、ウィラ・キャザーがつづった開拓生活や、ブレット・ハートが書いた野営生活の名残をとどめ、ヘンリー・デイヴィッド・ソローが聖地を、そしてバーナード・マラマッドが新しい生活を、目指した状況を残しているが、この作品の西部は、むしろ風変わりな人々が流れ着き、余生を過ごす場所として描かれている。

そもそもハティが暮らす「黄色い」家は、人生の盛りを過ぎた枯葉の季節を暗示していよう。また、近くには、住む人の人生を象徴するかのように、不毛な砂漠と底の知れない神秘の湖が存在している。人生とは雑多なものが散乱し、開墾されない土地が広がり、求めても果実の少ないものではないであろうか。ここは、他の場所に適応できなくなった人が何とか暮らす場所である。たとえば、ハティの飲酒運転は、辺境であるからこそ見過ごされる行為であり、仮に大都市で酔って放浪すれば、きわめて危険であろう。

ハティは、ベローの主人公としては珍しく「思想に関心が薄い」ように見えるが、それでも、「肉体は借り物」に過ぎず、「人生は（神に見守られているかのように）始終映像に撮られており」、「神がくださる混交を受け入れてゆく」という彼女の考えには興味をひかれる。彼女は大柄で陽気で滑稽であり、罪のない自慢話を好み、長く悲嘆にくれたり、長期に恨みを抱いたりすることがない。犬を筆頭に動物や自然を愛し、長寿に貢献する睡眠を十分にとる。

さらに、この短編には、彼女のほかにも老いて盛んな人々が登場してくる。九十歳になっても裁縫や家事に精出すワンダ。カウボーイに憧れる女性旅行者と交わる六十八歳のダーリー。そして、湖で日々冷水浴を敢行し、畑を耕し、オルガンを弾き、推理小説に没頭するエイミィは、ハティより年配である。

このようにベローが描く老人は、『サムラー氏の惑星』や『フンボルトの贈物』や『ベラローザ・コネクション』などの主人公も含めて、元気旺盛である。この人間像は、長命を維持し、旺盛な創作活動を継続した作家の精神を反映しているのであろうか。

ただし、長命でも怠惰なハティには、もう少し生産的な生き方が望まれるところであるが、なぜベローはハティのような、さらに長編においては一見だらしのないウィルヘルムやヘンダソンやハーツォグのような人間像を描くのであろうか。

それは一つには、ちょうどシャーウッド・アンダソンが『ワインズバーグ・オハイオ』や短編「森の中の死」などでグロテスクな人間像に可能性や美しさを求めたように、ベローは彼の一見だらしのない主人公たちに豊かさを見出し、可能性を含めているのではないか。

そして、もう一つは、たとえば、ベローが英訳したアイザック・バシェヴィス・シンガーの「馬鹿者ギンペル」を始めとした諸作品に見られるように、人類史を振り返れば人間のしでかした犯罪や愚行や不幸が浮かび上がってくるが、それでも、その愚かさを認識し、その愚かさを「自らを笑うユーモア」で温かく包みながら、なおいかに生きてゆくかをベローは問うのであろう。

その点で、ヨーロッパとアメリカ、都市と辺境、東部と西部を移り住んだハティの「流浪の人生」にも意味があり、神に語り掛けながら戒律を破ってきた彼女の人間像も貴重であり、さらに彼女は類まれなる強運によって黄色い家を手にするという物質的な達成も得たわけである。ハティは、人生の不純や悲劇を潜り抜け、ようやくここまでたどり着き、まだ生きる希望を失わず、妙に悲観的になったり、極端に暗くなったりしていない。最終場面で「明日はきっと問題解決よ」と言うが、おそらく問題を先送りしながら、作者ベローを連想させるようなウッドチャックのように、抜け穴を用意し、死の受容と延期を繰り返しながら、生き延びてゆく作戦を立てるのであろう。

結局、黄色い家は誰に譲り渡されるのであろうか。もしかしたらそれを受け継ぐのは、ハティの人間像を記憶にとどめ、やがて老いと死に向き合わざるを得ないわれわれ読者であるかもしれない。それは、次の短編「古い道」の中で、ユダヤの伝統、古い道、を誰が引き継ぐのか、という問いに関わってゆくことであろう。

3　古い道への回帰とは

「エレミヤ書」には、「いにしえの道につき、良い道がどれかを尋ねて、その道に進み、そしてあなたがたの魂のために、安息を得よ」という神の諭しが記されてある。いにしえの道に回帰すると思われる短編「古い道」は、遺伝学の権威となったユダヤ移民二世の観点より、

「人間の好ましくない意識の変容」に対し、ユダヤの「古い道」を通して異議を唱えようとする意図があるのではないか。

偉大な伝統が軽視され破壊される状況を嘆く語り手によって回想される主人公アイザックは、一九一〇年、ロシアより渡米し、ショレム・アレイヘム原作『屋根の上のヴァイオリン弾き』のテヴィエのように朝六時に出勤するという勤勉さに加えて、要所で企業心を発揮し、建築家として大成功するが、物質的な成功に伴って「より古風となり」、ユダヤ教正統派に近づき、質素に「神と共に歩む」。さらに彼は、従順で賢明な妻を得て、ヒトラーやスターリンによって失われた東欧の伝統的なユダヤ家庭をアメリカに築いてゆく。

このようにして彼は、かつてエイブラハム・カーハンの主人公デイヴィッド・レヴィンスキーを苦しめた「物質的な成功と精神的な空虚」という矛盾より脱しているように見える。

振り返れば、アメリカにおいて物心両面の成功を得ることは、カーハン同様ユダヤ系移民作家であったメアリ・アンティンの『約束の地』や、アンジア・イージアスカの『飢えた心』などの重要な関心事ではなかったであろうか。カーハン、アンティン、イージアスカには、アメリカの夢を追う時期よりユダヤの古い道に回帰する変容が窺えるが、この点、両親がロシアより移民した背景を持つベローの晩年は、似ていたのではないか。

たとえばそれは、アメリカに対するベローの問いに表れていよう。「旧世界の弊害を、新世界アメリカはある程度修正してくれたが、そこではまた新たな混乱が人の魂を満たしているのではないか」。これは、『エルサレム紀行』における問いである。また、「新世界アメリカで際限のない欲望を求める機会に恵まれた結果、人は底知れない欲望に駆られ、いたずらに才能を浪費する結果にならないか」と。これは、『サムラー氏の惑星』において、アメリカの若者の描写に窺える疑問である。

このように、アメリカの生活を新旧両世界の観点より捉え疑問を呈する点に、ベローのユダヤ的な背景が窺えるかもしれない。そこで、改めて浮かび上がるのが、新世界において、ユダヤの「古い道」を求める意義である。ホロコーストを生き延びた『サムラー氏の惑星』の主人公にも見られるように、紆余曲折を経て新たに神の意志を問い、神が諭す「古い道」を求めて生きることが、人の魂に安息を与え、魂の成長を促す契機になるのではないか。仮に、旧世界の物質的な不遇をアメリカで是正したとしても、そこで精神的な富が損なわれるようであれば、新世界を目指した意味が薄れるのではないであろうか。

短編「古い道」においては、旧世界より新世界への移民の潮流を描き、そこで感情や理性を含めた人間の意識の変容を問い、たとえば感情を抑圧する非ユダヤ人と、アイザックのように感情を豊かに表わすユダヤ系移民たちが比較されている。感情を吐露する人物のほかの例として、厳格な母親像を体現する口やかましいローズや、その血を受け継いで大げさな表現を好む娘ティーナなどが登場してくる。

特にユダヤ人の感情が豊かに表現される場面は、ユダヤ人にとって重要な祝祭である贖罪の日（ヨム・キプール）の前に、亡くなった縁者の墓に詣で、さらに生きている親族より許しを請う伝統に従い、アイザックが仲たがいしている妹ティーナに仲直りを懇願するくだりである。仲たがいは誤解や偏見より生じたものであるが、ティーナはアイザックが彼女や弟たちをのけ者にして自分だけが億万長者になったと、長年にわたって彼を非難している。彼女はいったん思い込むと、執拗になる性格なのであろう。やがてティーナは死の床に就き、死の間際になって初めてアイザックを赦し、彼の愛に報いることを学ぶが、こうしたユダヤ人の親族に絡む感情が作品の重要な要素となっている。

こうした場面に関して興味深いことは、アイザックが死を迎える妹より、「見舞いを望むのであれば、大金を払え」という奇妙な要求をされ、それを受け入れるべきであると思いながら、ユダヤ社会の精神的な指導者であるラビにこの問題を相談し、ユダヤの古い叡智によって最終的な決断を下そうとすることである。

人生において道に迷い困難に遭遇した際、精神的な指導者ラビに生き方を相談することは、他のユダヤ系作家、アイザック・バシェヴィス・シンガー、エリ・ヴィーゼル、ハイム・ポトクなどの作品を連想させるが、この点でもベローはユダヤの「古い道」に読者を誘うこれらの作家たちの潮流に加わっていると思える。

ちなみに、短編「古い道」においてアイザックの相談相手となるラビは、子供時代にホロコーストを生き延び、フランスで科学を学び、後にラビに転身したという「科学と神秘を合体させた人物」である。ホロコーストを経て、試行錯誤の後、新たに神の意志を問うホロコースト生存者の生き方は、『エルサレム紀行』、『サムラー氏の惑星』、『ベラローザ・コネクション』などにおいても描かれているが、それはユダヤ人の神話である「創造の器の破壊によって飛び散った聖なる光を集める生き方」、そして、ホロコースト以後の文明の修復へとつながってゆくものであろうか。

4　おわりに

実際には戒律を守らないユダヤ人や、反対にホロコーストを経てラビに転身するユダヤ人などが存在するが、ユダヤ人の一つの定義を、神の意志を問い、神との契約を守り、ユダヤ人の歴史や伝統を重んじて生きる者であるとするならば、ホロコースト以後の文明修復のために、「古い道」へ回帰する中に希望を見出す生き方が望まれてゆくのであろうか。その方向においてユダヤの「古い道」を受け継ぐのは、誰になるのであろうか。

引用・参考文献

Bellow, Saul. *Dangling Man*. New York: The Vanguard Press, 1944.

——. *The Victim*. New York: The Vanguard Press, 1947.

——. *Seize the Day*. New York: The Viking Press, 1956.

——. *Henderson the Rain King*. New York: The Viking Press, 1959.

——. *Herzog*. New York: The Viking Press, 1964.

——. *Mosby's Memoirs and Other Stories*. London: Weidenfeld and Nicolson, 1968.

——. *Mr Sammler's Planet*. New York: The Viking Press, 1970.

——. *Humboldt's Gift*. New York: The Viking Press, 1975.

——. *To Jerusalem and Back*. New York: The Viking Press, 1976.

——. *The Bellarosa Connection*. Middlesex: Penguin Books, 1989.

Harris, Mark. *Saul Bellow, Drumlin Woodchuck.* Athens: The University of Georgia Press, 1980..

第11章　古き人よ、目覚めよ――アイザック・バシェヴィス・シンガーの『悔悟者』

1　はじめに

シンガーの描く主人公たちには、ひとつの特質が見られるのではないか。すなわち彼らは、ユダヤ教の信仰に篤いポーランドの家庭で生まれ、その環境の中で幼少より聖典の研鑽に励む。ところが、その後、古くはフメリニツキーによる虐殺や帝政ロシア領内でのポグロム、そしてヒトラーのホロコーストやスターリンによる粛清など、差別と迫害の歴史を体験し、さらに共産主義や社会主義やシオニズムなど、思想の渦に巻き込まれる中で、神の信仰より離れ、あるいは物質主義の誘惑にはまり、結果として生きる道に迷う。その過程で、多くの国々や思想や女性の間で「綱渡りの人生」を歩み、その状況がもたらす緊迫感によって人生の虚無や倦怠を紛らわそうと努めるが、いつしか足を踏み外して落ちてしまう。結局、切羽詰まった挙句、懺悔してユダヤの伝統的な古い道に回帰するか、その途上を歩むか、もしくはそれを逸脱した状況に陥るか、に道が分かれてゆく。

ただし、そのいずれに向かうにせよ、彼らはそれぞれ魂の救いとしてユダヤの古い道を慕い続けているように見える。それは、代々ラビであった家系で成長したシンガーが自らに染み付いた特質として、主人公たちに投影しているものであろうか。

それでは、彼らを大きく包み込むユダヤ教は、紆余曲折を経て悔悟者となった彼らに、いかに対応するのであろうか。実際、悔悟者を温かく受け入れようとする態度は、家族を基盤としたユダヤ教に顕著である。それは、たとえ放蕩息子であっても、家に迎え入れようとする家族の温かさにも譬えられようか。たとえば、ユダヤ聖書において、ヨナは神の命令に背いて悪行を働き、それを悔いて行為の責任を受け入れるとき、神の元に戻ってゆく。また、ユダヤ人の宗教歌では、「悔悟者を受け入れる神の御手」や「懺悔の歌」が温かく響く。そして、ユダヤ人は新年（ロシュ・ハシャナー）において、悔い改めの門が懺悔の日（ヨム・キプール）まで開かれていることを信じ、終日断食して祈り、過ちを懺悔して新たな人生へ歩み出すのである。実際、暗夜行路を迷う人々は、進むべき正しい道や方向が存在するとしても、しばしばそれに気づかないのであるが、それを悟らせてくれるのがユダヤ教であろう。シンガーの世界では、『悔悟者』を始めとして、『奴隷』、『ルブリンの魔術師』、そして童話『荒野に独り』などに懺悔の主題が顕著である。これらの作品は、われわれに物質文明の落とし穴を認識させ、それを抜け出して、精神的に豊かな生き方を目指すよう促す力を持っている。

さらに、他のユダヤ系作家の作品でも、たとえば、ソール・ベローの処女作『宙ぶらりんの男』において、主人公ジョウゼフは、自己のアイデンティティや目的を問うが、ユダヤ教におけるより良き人生の探求を受けて、ユダヤ系作家作品には、バーナード・マラマッドの『新しい生活』も含めて、人生の意義を求める大きな流れが存在しているであろう。その流れの中で、人は過ちを犯し、人生を浪費した後で、過去との決別をもくろみ、活動の場を移動し、新しい生き方を求めてゆく。

ところで、『悔悟者』はかなりのイスラエル批判を展開しているが、それにもかかわらず、この作品がまずかの地で出版された事実は興味深い。すなわち、イスラエルの人々は、世俗の探求に貪欲で、ある意味では異邦人より邪悪であり、民族の聖性を維持している者は少数に過ぎない。現代ヘブライ語は、多くの世俗性を取り込み、もはや聖なる言語とは言い難い。宗教教育は生ぬるく、人々は内部分裂を繰り返し、ここでも「力が正義である」、等々。

これらの苦言にもかかわらず、率直さを好むと言われるイスラエルの人々は、ディアスポラのユダヤ人シンガーより提示された建設的な批判を歓迎し、また、紆余曲折を経た主人公が結局、ユダヤの古い道に回帰する内容を評価しているのであろうか。一九四八年の建国以来、存続を求めて幾多の苦難を経てきたイスラエルの人々にとって、『悔悟者』は精神に活を与えてくれるものと言えようか。

2　主人公の特質

『屋根の上のヴァイオリン弾き』と同様、作者（シンガー）に向かって身の上を語る形式において、主人公シャピロは、これはと定めた対象に徹底して没頭する人間であろう。幼少より聖典を学び、共産主義に世直しを託して敗れ、また、彼は、『モスカット家』のエイサ・

ヘッシェルのように、ナチスによる空爆の中をワルシャワでさ迷い、『ショーシャ』のアーロンの場合のように、その間多くの女性と交わる。戦後、かつての恋人セリアと結婚し、渡米し、不動産業で成金となるが、あらゆる奮闘は無益であると感じ、早くから自殺願望に駆られ、女性との関わりにおいて二重生活を送る中で他人を常習的に騙し、自らをもしばしば欺く。

それでも、禍の元凶は、十戒の軽視にあると思い、娼婦などに吐き気を催す。自他を欺き、物欲や色欲に狂っている時でさえ、それが誤った生き方であると感じ、神や父祖に対して恥じ入る気持ちが強い。シェイクスピアのように、人生を劇場、自らを劇中人物と見なし、同時に自己を創造主によって導かれる舞台俳優のように感じているのであろう。

現在、紆余曲折を経たシャピロは、エルサレムで神学校の学生になっており、時間に余裕を得ている。そこで世界各地よりユダヤ人を引き寄せる「嘆きの壁」に日参し、作家シンガーと出会い、身の上話を展開する次第である。

3　問題の状況

その話によれば、エルサレムに至る以前、シャピロのニューヨークでの生活には、いかに多くの問題が含まれていたことか。不動産業によって物質的な富を得ても、それによって生きることに何ら徳を見出し得ていない。実際、真の楽しみとは言えない快楽に時間を浪費しているだけであり、仕事仲間と同様、結婚外の性的な関係を持っているだけではないか。すなわち、彼らは愛を金で買っている。シャピロ自身も、不妊症である以外は不足のない妻を持ちながら、愛人を囲い、彼女に際限のない金銭援助を迫られるうえに、彼女のヒッピーの娘やその愛人にまで金をたかられる羽目になる。

彼を取り巻くのは、「屠殺と淫売の文明」である。その中では、ユダヤ人、非ユダヤ人を問わず、悪事を働いても謝罪せず、性や暴力を描く映像や印刷媒体が氾濫し、かえって人々は不能になり、性の喜びを得ることができない。一人の異性に満足できず、次々と相手を変えてゆく結果、性は常に他人との競争になり、不能や倒錯に陥ってしまう。

4 新しい生活

それでも信心深い家庭に生まれたシャピロは、ヒトラーのホロコースト、スターリンのロシア、そしてアメリカ移民を経て、物欲や色欲にまみれながらも、再び信仰に戻ろうとする人間である。換言すれば、流浪や差別やホロコーストなどを体験した結果、神に対して複雑な思いを抱くものの父祖の信仰への回帰に憧れる人間であると言えよう。シンガーは、現代ユダヤ人の抱える問題や、よきユダヤ人の特質の何たるかをわきまえている。問題は、この狂気の世界において、いかによきユダヤ人として生きることができるか、である。

シャピロは、これまで多岐にわたる多忙な人生を過ごしてきたが、イスラエルへ至ってようやく自己の人生を改めて吟味する余裕が生まれてくる。その彼にとって、また特にホロコーストを経た人間にとって、最大の難問は、神への信仰を回復することである。ユダヤ人の犠牲者たちが自らの墓穴を掘らされていた時、神はどこにおられ、ナチの蛮行をなぜ黙認しておられたのか。この疑問が、たとえホロコースト以後イスラエル誕生という達成があったにせよ、ユダヤ人の胸を去ることはないのである。しかし、シャピロの場合、信仰は、ユダヤの古い道に戻り、伝統的なユダヤ人らしく外見を整え、戒律をもとにユダヤ人らしく振舞うことによって、徐々に強化されてゆくことであろう。

シャピロは、新しい生活を求める道のりで、ニューヨークのロウアー・イーストサイドでは老いたラビと、そしてエルサレムのメア・シャリームではハシディズムの会衆指導者ハイム氏やその娘サラなど、重要な役割を果たす人々と出会う。興味深いことに彼は、『ルブリンの魔術師』ヤシャがしばしばシナゴーグに惹かれるように、新しい生活を目指す試みがくじけそうになるとき、決まってユダヤの古い道に導かれてゆく。ことに善良さを目にたたえた貞淑なサラは、神に授けられたような美を具え、シャピロにとっては「運命の女性」である。運命が、不貞を好む女性たちを経た後、シャピロを清純なサラへと導くのである。戒律に基づきユダヤ性を維持してゆく良妻賢母サラのような女性が存在する限り、ユダヤ民族は存続するであろうし、反対に、こうした社会の基盤を成す女性がいなくなれば、いかに軍隊や大学や経済を強化しようと、民族は衰退するのではないか。

ふさわしい妻サラと家庭を築き、子宝に恵まれ、神学校で学ぶ身となったシャピロは、新しい心境として「毒を飲んで一日を始める必要はないのだ」と悟る。恐怖、苦渋、無力を掻き立てるマスメディアの情報に流されて朝を迎えずとも、聖なる希望を育む聖典があるではないか。聖典は、少しの間も惜しんで学ぶラビやその弟子たちにとって、義務や重荷ではなく、大きな喜びである。シャピロ自身も、精神分析や哲学など他の主義主張と比較し、聖典を最上のものとして受け入れてゆく。そして、それを紐解いているとき、『モスカット家』のエイサや『ルブリンの魔術師』のヤシャや短編「魔女」のマークのように自らを「異邦人」と思い煩い苦しむことはもはやなく、気持ちが落ち着いて和やかになってゆく。

また、彼が新しい生活の要点として、家族とともに肉食を忌避し採食を選択することは、シンガーの主人公たちに繰り返し見られる独特なものである。ユダヤ聖典は肉食を「必要悪」として認めているが、シャピロの考えによれば、神の創造物を殺めることは、人をさらに一歩ナチのような極悪非道に近づけるものである。たとえば、ロブスターを生きたまま熱湯で料理することや、泣き叫ぶ動物を殺して食べることに彼は耐えられない。これは、ディアスポラのユダヤ人、特にホロコーストを経たユダヤ人の心境であろう。

ただし、菜食主義ですべて問題が解決するわけではなく、実際、肉食を完全に避けることにも無理があろうが、それでも肉食を選ぶとき、人が犠牲になった動物に思いをいたすか、あるいはそれを全く無視してむさぼるかでは、重要な違いが生じてこよう。ちなみに、シンガー同様、菜食主義を実践した宮沢賢治の童話においては、殺される側の心理を説き（「フランドン農学校のぶた」）、殺すものと殺されるものとの間に一種の共感やいたわりを芽生えさせてゆく（「なめとこ山のくま」）。

ここで「人は環境を変えてこそ新たに生きるのである」という、シオニズム世界機構を構築したテオドール・ヘルツルの言葉を想起するならば、それはまさにシャピロに当てはまるであろう。

実際、妻や愛人やそれまで築いた職業などすべてを捨て、ニューヨークを離れイスラエルへ向かうことは、勇気のいる決断であるが、いっぽう、今日のユダヤ人には向かう国が存在すること、また新たな生活に挑む費用を所持していることは、シャピロにとって幸運である。

別れた妻セリアを含めて、環境を変える行動に憧れるユダヤ人は多く存在するものの勇気や信念が伴わなければ、それは単なる願望で終わってしまう。

この点、共に不動産で成功してはいるが、ニューヨークの片隅で純朴な娘に愛のオアシスを求める「サム・パルカとデイヴィッド・ヴィシュコーヴァ」のサム・パルカと比べれば、イスラエルに飛び、果敢に宗教生活に精進するシャピロのほうが前進している。サム・パルカの場合、ヒトラー台頭によってイスラエルへの渡航が妨げられたことが皮肉である。いっぽう、シャピロは、自己の気持ちを偽ることなく、また、父祖の記憶に忠実であり、理想を求め続けたことが、イスラエルでの新生活につながったのである。

シャピロは持参した金が続く限り、神学校での宗教教育に明け暮れ、その後はまた新たに生きる道を探すことであろう。不動産業の知識や技術を活用してイスラエル建設に携わることも、その一つであろう。そうした専門職に携わりながら、聖典の研究を通じて、精神の核を求めてゆく新しい生き方が可能であろう。

とは言うものの、マラマッドの『新しい生活』と似て、環境を変えようと、新たな土地に向かったシャピロであるが、古い自己との葛藤が執拗に続くため、新しい生活を容易に得られるわけでは決してない。苦悶に満ちた夜も多く過ごしてゆく。それでも退路を断って、新しい生活を探求する覚悟を捨ててはいない。それは、具体的には「古き人の目覚め」となって表れてくる。

シャピロは、ユダヤ教正統派も含めて、現代の組織的な宗教には幻滅している。過大な宣伝を行ない、巨額の寄付を集め、教会堂や神学校を建設しても、そこで得られるものは、「喧騒と皮相性」に過ぎない。現代風のユダヤ教は、虚偽や欲望など、世俗の価値観に影響を受けているのだ。俗性に満ち満ちた環境で聖性を求めることは、至難の業である。そこで現代の虚栄や貪欲、喧騒と皮相ではなく、着実にユダヤ性を守る古い道へと向かってゆく。

ここでは古のユダヤ教に回帰するしかない。古きものに回帰する中に、むしろ新しい生き方が見出せよう。新しい人生を求めるに当たって、内面に住む何世代にもわたるユダヤ人同胞が後押ししてくれる。シャピロは、伝統的なユダヤ教の絆によって周囲を固めることで、支えを見出してゆく。そして、生命や誠実を重んじる伝統の中に自己を位置付けてゆく。

彼のように、世俗的な誘惑、すなわち富や栄誉や名声を断って、信仰の道を歩む者は少数であろう。しかし、偉大な思想や生き方は、少数者より芽生えてきたのではなかったか。シャピロは、多くの差別や迫害の要因であった他者との競争を避け、また、自らを他者の尺度で測ることも止め、理想と現実の自己が競う形で生きようとする。他者と競争するのではなく、「自らと競う」のである。

それでは改めて、神に対するシャピロの態度は、いかなるものであろうか。

宇宙が大爆発によって発生したり、あるいは万物が自然に発生したとは考えにくい。そこには宇宙を運行する何らかの力が存在するに違いない。ただし、人の微小な頭脳では、永遠や無限を把握し、物事の本質に迫ることは、到底無理である、とシャピロは思う。そこで彼は、宇宙の創造主の特質は、道徳的で、真実を愛し、生き物に慈悲を抱くものであると仮定する。

ただし、彼のこうした神概念の選択は、必ずしもシンガーのものとは一致しないであろう。シンガーは、神の叡智を信じることができても、その慈悲を疑うからである。神が創造した世界になぜこれほどまでに悲惨な人生や暴力の歴史がはびこるのか。シンガーは、しばしばこうした疑問を表明している。そこで、彼は神の存在を信じるが、神の意志を批判し、それに抵抗してゆく。

そのようなシンガーの宇宙や神の概念は、たとえば、『同胞との生活』に描かれている以下のものとも異なるであろう。

東欧のユダヤ人町（シュテトル）の人々は、宇宙を「計画された総体」であると見なしていた。それは、神が根源的な混沌より創造したものであり、複雑な総体であるが、基本的に秩序と合理性と目的を具えているのだ。宇宙は時空にまたがった動的な総体であり、たとえ今日何らかの矛盾が見られるにしても、それは長い目で見れば、究極的に統合されるものであろう。そこで、あらゆる行為は、結局、何らかの目標に向かうものである。また、宇宙と同様、人は善と悪、思想と感情、肯定と否定など、相補うものによって成り立っている。したがって、人の合理性や非合理性をも総体の要素として受け入れるのである。善と悪の究極に傾くのではなく、中庸を重んじ、均衡を維持して生きるべきである。また、未来への期待ともに、現在を享受すべきである。これは、いわば条件付きの楽観主義である。合理性、そして戒律を重視することは、言葉を非常に重視することと連動している。天地万物の事象を秩序、理性、目的の枠組みで捉え、それに正義と慈悲を織り交ぜ、過去と現在の事象を戒律に当てはめて解釈するために、莫大な言葉が動員されてゆく。

シンガーの場合、神は、彼の幼少より家庭で論じられていた「永遠の謎」に答えてくれる対象として存在する。シンガーは、組織的な既成宗教を批判したうえで、自らの体験に照らして宗教の批判的な継承を試みているのである。

5　おわりに

『悔悟者』は、現代の病状を指摘し、救済への道を模索する。完全な救済は望み得ないが、一つの救済方法を示していると言えよう。それはユダヤ人の「古い道」への回帰である。聖典に人生の叡智を求め、父祖の生き方を学んでゆく。ここには一つの確固とした道徳の核が存在している。問題は、そこへ回帰する際の困難さである。

シンガーの作品は世の中の矛盾を暴き出し、それでもその中で懺悔を求め、向上を模索する人間を描く。世の中の醜さに直面しても大きく失望はしない。その中でも少しずつ小さな勝利を求めてゆく。各人は正しい道を、自らの努力で、自由意思によって選んでゆかなければならない。善行のひとつひとつが宇宙をより良いものにしてゆく。各人が可能な範囲で努力しなければならない。シンガーの作品は、徐々にこうした生き方を、われわれに学ばせてくれるのである。

それでも、悪の誘惑を完全に断ち切って生きることは不可能であろう。シャピロの選んだ生き方は、少数者にだけ当てはまるものかもしれない。多くの人々は、そうした方向を目指しているかもしれないが、現実にはそれを実践できないのである。ただし、たとえ実践できないとしても、浪費や虚栄、暴力や殺戮に彩られた文明から、できるだけ遠ざかろうとする方向は、各人に望まれるところである。

実際、シャピロの選択で諸問題が解決するわけでは決してない。これは、あるひとつのある期間における解決の方法を示しているだけである。人は生きている限り、善悪の葛藤に苦しまなければならない。善悪の戦いは、揺り籠より墓場まで続くものであり、救済を見出せても、それは一時的なものであり、したがって信仰と疑惑は繰り返される。存在の悲惨さに対しても万能薬は存在しない。

『悔悟者』は、人としてより良い生き方を求めるというユダヤ教の姿勢が明らかに描かれている作品である。それは、人がどんな堕落に落ち込んでいても、救済の道は開かれているのだという訴えである。

引用・参考文献

The Babylonia Talmud VII: Tractate Besah. Atlanta: Scholars Press, 1986.

Bellow, Saul. *Dangling Man.* New York: The Vanguard Press, 1944.

Kolatch, Alfred J. *The Jewish Book of Why.* New York: Jonathan David Publishers, 1995.

Lowenthal, Marvin ed. *The Diaries of Theodor Herzl.* New York: The Dial Press, 1956.

Malamud, Bernard. *A New Life.* New York: Farrar, Straus & Giroux, 1961.

Singer, Isaac Bashevis. *An Isaac Bashevis Singer Reader.* New York: Farrar, Straus & Giroux, 1953.

——. *The Slave.* Middlesex: Penguin Books, 1962.

——. *Alone in the Wild Forest.* New York: Farrar, Straus & Giroux, 1971.

——. *Passions and Other Stories.* Middlesex: Penguin Books, 1975.
——. *Shosha.* New York: Fawcett Crest, 1978.
——. *The Penitent.* New York: Farrar, Straus & Giroux, 1983.
Vinaver, Chemjo. ***Anthology of Jewish Music.*** New York: Edward B. Marks Music Corporation, 1953.
Zborowski, Mark & Herzog, Elizabeth. ***Life Is with People.*** New York: Schocken Books, 1995.
クシュナー、ハロルド『ユダヤ人の生き方——ラビが語る「知恵の民」の世界』松宮克昌訳・創元社，二〇〇七年。
滝川義人『ユダヤを知る事典』東京堂出版、一九九四年。
宮沢賢治『宮沢賢治童話全集』（一～十二巻）岩崎書店、一九七八～七九年。

第12章　ラビ・スモール・シリーズにおける記憶と伝統——ユダヤ人の古い道を求めて

1　はじめに

ユダヤ教の精神的指導者であるラビが探偵としても活躍する、という意外な設定をしたハリー・ケメルマンのラビ・スモール・シリーズ（全十二冊）は、幅広い人気を得ているが、その魅力とは何であろうか。

それはまず、痩せて青白く猫背であり、一見して風貌の冴えないラビ・スモールを、推理力の鋭い探偵に仕立て上げた、という意外性であろうか。この外見と内実の不均衡は、たくまざるユーモアを醸し出し、読者を惹きつけてやまない。たとえば、G．K．チェスタトンの、小柄で見栄えが芳しくない神父が探偵を演じる場合と比較すれば、類似性はあるが、カトリック教のブラウン神父よりラビ・スモールのほうに、宗教者としての特色を見出せよう。すなわち、このシリーズを通して、われわれはユダヤ教の精神的な指導者の姿に、それもユダヤ教の伝統的な「古い道」を信奉するラビの姿に触れ、緊張感に満ちた探偵小説を楽しみつつ、ユダヤ人の歴史・宗教・商法などに親しむことができるのである。これは、ユダヤ系文学の読者や、ユダヤ人に関心を抱く人々にとって、いかに魅力的であろうか。

ラビ・スモール・シリーズ全体を通して、読者は、流浪、迫害、イスラエルを含むユダヤ人の歴史に触れ、ユダヤ教の現世主義、現世の修復という使命、生命への畏敬、生涯学習の意義に親しみ、ダイヤモンド、百貨店、不動産・建設業を含むユダヤ人のビジネスに目を見張るのである。シリーズのこれらの特質が、多様な興味深い人生の描写と相まって、読者に繰り返し本シリーズを紐解かせる要因となっているのである。本シリーズは、単なる探偵小説ではない。探偵小説を味わいながら、いたるところに挿入されたユダヤ教やユダヤ人の生活について知ることができるのであるから、非常に有益である。

また、ラビ・スモールは、「ユダヤ人のシャーロック・ホームズ」にたとえられ、英国探偵の場合のように鋭い推理力を発揮するが、加えて、ユダヤ聖書の注解タルムードの解釈法「ピルプル」を犯罪捜査に応用している。これも伝統的なユダヤ人の「古い道」を信奉するラビ・スモールならではの手法と言えよう。ピルプルという多面的で微細な解釈法は、実に優れた知的訓練になるという。ピルプルから問いが次々と生み出され、果てしなく議論が続く。そこで、ラビ・スモールが独特な抑揚でピルプルを唱えつつ推理を展開してゆく過程に、読者は緊張感を覚えよう。

その緊迫感に加えて、今日ユダヤ社会にその身分を負っているラビが、シナゴーグの理事会メンバーの投票を経て、果たしてラビ職の「契約更新」を果たせるのかという、シリーズ中で繰り返される緊張感が重なってくるのである。

たとえば、シリーズ第一巻『金曜日、ラビは寝過ごす』において、まだ弱冠二十代後半のラビ・スモールは、父祖のように伝統的なユダヤ教のラビを務める覚悟であり、優れたタルムードの知識によって、精神的な指導者となり、現代アメリカのユダヤ社会を導こうとするのである。

ところが、ボストンより車で三十分の町バーナーズ・クロッシングで暮らす現代アメリカのユダヤ人会衆やシナゴーグの理事会メンバーの多くは、二つの大戦間に成長し、幼年学校や日曜学校やヘブライ語学校にさえ通っていない。彼らは、ユダヤ教への関心に乏しく、しかも、現代アメリカでの物質的成功の夢に忙殺されている。この人々に対してラビがユダヤの伝統を説くことは至難であろうが、こうした世代ほど実は精神的なよりどころに欠け、大海原を漂う状況にあり、頼れるものを欲しているのである。ユダヤの伝統を感知する「レーダー」が備わっているというラビ・スモールは、彼らがユダヤ教を軽視しようとする際、頑強に抵抗する。人の生涯を運営してゆく際にきわめて実践的であるユダヤ教の戒律に従って社会を秩序づけようと望むラビは、原則を守る人として、しばしば会衆の思惑にそぐわない言動を起こしているのである。また、やがて大学において彼らの次世代にユダヤ教育を施してゆくのである。

ところで、ラビ・スモールには、ユダヤ人のラビに特徴であるあごひげがない。ただし、あごひげの無いラビと、あごひげを生やしていてもラビの資質に欠けた人を比べたらどうか。明らかに前者に軍配が上がるであろう。

2　ラビ・スモールの教育

ラビ・スモールは、毎年ラビ職を解雇されるかもしれない危機に見舞われる状況で思う。ラビ職を去るのであれば、教職か、執筆業の道を代わりに選ぶであろうと。実際、ラビは、安息日や祝祭日にシナゴーグで説教をするのであり、これは大学で講義をすることと同じであろう。シナゴーグで大勢の会衆を前にして話しているのであるから、大学においても大小のクラスで講義をすることに問題はないであろう。ラビとして戒律に基づいて会衆を教え導く代わりに、ユダヤ思想に基づいて学生たちを教え導くことになる。したがって、退職するラビにとって教職への異動が最も円滑であるように思われる。

ラビ・スモールは、シリーズ中で二回（『火曜日、ラビは激怒する』、『その日、ラビは町を去る』）にわたって、ボストンの大学でユダヤ思想を教えるが、記憶と伝統に関して教育の果たす役割は重要である。ラビ・スモールの教育法は、ユダヤ教が説くように、絶えず問いかけ、学びを各自の生き方と関連付けることであり、換言すれば、各自の生涯運営計画の中にユダヤ思想を位置づけ、それを血肉化することである。そのために彼のクラスでは、きわめて活発な討論が展開されてゆく。受講生たちは、講義を聴くとともに、関連する多くの読書をして、考え、問いかけ、ユダヤ思想を血肉化するよう求められる。

ラビが教育に携わるとき、受講生に対して単に読書をして研究するだけでなく、その内容をよく吟味して考え抜き、自らの結論に達するよう促す。そして、教師に反論し、教師と意見が食い違うことを、むしろ強く勧めている。このような自由な教育から、新たな発展や変革が生まれてくるのであろう。

教育を通して、また、良き教師との出会いによって、生き方の良い方向への変革が得られるならば、最高であろう。

いっぽう、大学において、互いに無連関な講義を聴き、リポートを提出し、単位を取得して卒業することには大きな問題がある。それでは、しっかりとした教育を受けているとは言えない。

ラビ・スモールは試験に関しても、単に覚えたことを吐きだすという記憶の問題ではなく、受講者たちの生き方に有益な内容を問うことを求めている。試験が終わったら、すぐに忘れてしまうような内容では意味がないからである。

かくしてラビ・スモールは、教えることを楽しむ。教えることによって、自ら学ぶことが多いと言う。教える過程で、多くの類推や霊感が浮かび、それが自らの思想を豊かにしてくれるからである。

元来、ラビ・スモールは若者たちに人気があるが、それは、彼らに対して決して上から見下ろす態度ではなく、平等な立場で問いかけ、語り合うからである。たとえば、『月曜日、ラビは旅立つ』において、留学したイスラエルの大学で苦労しているアメリカ人の若者ロイに語りかけ、また、『ラビ・スモールとの対話』において、逆境を乗り越え結婚を目指す二人のユダヤ系の若者と語り合う際にも、それは良く表れている。この態度が、二十五年間のラビ職を辞めて大学教授となる第二の人生において、彼に大きな成功をもたらすのである。

シリーズ中には、学歴を詐称し、有力者のコネで昇進したケント教授や、他人の博士論文を盗用したミラー准教授（『その日、ラビは町を去る』）や、教授会で常に編み物をしているハンベリー女性学部長（『火曜日、ラビは激怒する』）など、教育や研究に生ぬるい教員も少なからず登場するが、そのなかでラビ・スモールの研究者・教育者としての真摯な態度は抜きん出ている。ただし、ラビ・スモールは孤立した存在ではなく、その態度を評価し、彼を支持するマコーマー学長の存在を忘れてはいけない。

3　ラビ・スモールの生涯の運営

かつて伝統的なラビは、ユダヤ人が戒律に従って生涯を運営していた旧世界ヨーロッパにあって、その優れた戒律の知識に基づいて共同体の運営をつかさどり、残りの時間を聖典研究に用いていた。換言すれば、ユダヤ人としての生涯の運営と教育と研究に時間をささげていたのである。ラビは大きな権威を持ち、その決定は優れた影響力を持っていた。そして、ラビはその仕事に対して共同体より報酬を得ていたのである。

しかし、東欧の旧世界と異なり、現代アメリカにおいては、精神的指導者であるラビの権威も衰え、ラビに対する尊敬の念も減少している。そのうえ、批判精神が旺盛であり、権威を疑い、神とさえ論争するユダヤ系の人々は、シナゴーグの理事会メンバーや会衆を含めて、ラビに対して批判的である。

彼らは、ラビ・スモールに、町で他の社会集団に対して見栄えのある代弁者や交渉役を務めるよう期待するのであるが、ここに見解の食い違いが生じてしまう。

さらに都合の悪いことに、学者肌のラビ・スモールは、研究熱心なあまり、髪や服装に無頓着であり、ネクタイは曲がり、靴は汚れ、見栄えは決して良くない。また、タルムードより引用する彼の説教は真摯な内容であるが、それは必ずしも現代の会衆の心に響かないのである。

ただし、このように身分が不安定であり、職を失う危険に毎年さらされながら、ラビ・スモールは妻ミリアムやカトリックの警察署長ラニガンの助けを借りて奮闘し、結局、シリーズ全体を通して二十五年間も勤め上げ、給与七十五％の年金を得て退職し、シリーズ最終作『その日、ラビは町を去る』において、ボストンの大学でユダヤ思想学科の教授となり、若い世代にユダヤ教の古い道を問いかけてゆく。彼のこうした生涯の運営は、見事である。

ところで、夫であるラビ・スモールは「大きな作戦」を立てるが、その「具体的な戦術」を小柄で生き生きとした妻ミリアムが担当する。たとえば、夫は研究休暇を求めてイスラエル行きを決定するが、その具体的な段取りをするのは妻である（『月曜日、ラビは発つ』、『ある晴れた日、ラビは十字架を買う』）。妻ミリアムは、大きな企画を立てる夫に対して、それを具体的に助け、いっぽう、彼らの息子ジョナサンと娘パテシバはシリーズを追って成長し、やがて息子は有名な法律事務所に就職し、娘は結婚に至るのである。

ラビ・スモールの人生を総括するならば、ユダヤ共同体を伝統に基づいて運営し、次世代を教育し、イスラエルの場合も含めて多くの難事件を解決し、異宗教間の対話を発展させ、大学教育にも従事したということであろうか。人としてかなりの成功を収めた人生であると言えよう。

4　異宗教間の交わり

ところで、単独ならばラビが探偵を務めることは難しいであろうが、それは、バーナーズ・クロッシングの警察署長ラニガンとの友情があればこそ可能になるのである。ラビはラニガン署長を助けて、ラビ自身やユダヤ社会の人々が犯罪に巻き込まれた際、ユダヤ社会の若者たちや会衆や理事会メンバーなどを救うのである。それは、大きく言えば、ユダヤ社会を守り、人々を救い、異集団との交わりを築いてゆくことになる。

そこで、ラビ・スモールと警察署長ラニガンとの友情は、重要である。

二人の交わりは、ラビ・スモールが探偵として働く契機を与え、また、彼がアイルランド系でカトリック教徒であるラニガンと異宗教間の対話を楽しむ機会をも育むのである。ラニガンは、「仕事に対する責任感が強く、罪人であれば自分の息子でさえ逮捕する」（『金曜日、ラビは寝過ごす』）というが、宗教に深い関心を抱き、それに関して熱心に読書し、ラビ・スモールと宗教談義をこよなく楽しむ。二人は、いずれの宗教が優れているか、という議論ではなく、互いの宗教の違いを比較して味わい、相互に理解し、尊敬し、認め合う。

ここには異宗教の対話や共存がいかに可能か、という示唆がなされている。そこで数百万に上るというラビ・スモールの読者は、異宗教の対話や共存に関して、このシリーズを通して少なからず学んでいるのではないか。

ラニガンはラビとの宗教談義を繰り返し、ラビ・スモールを深く尊敬するようになる。二人の友情が、ラビをしてピルプルによって難事件を解決する内容につながり、また、ラビのそうした活動が、二人の友情をさらに深めてゆく。

ラビとラニガンが暮らすバーナーズ・クロッシングは、文化の中心地ボストンに近く、知らない者同士でも道で会えば挨拶し、警察は町民に対して隣人のように親密に接してくれる。警察に頼んでおけば、長期に留守にする場合、家を見回ってもらえるのである。住んで気持ちの良い場所であり、実際、ラビ・スモール夫妻はこの町を好んでいる。高学歴のユダヤ系住民が多く、彼らは町の発展に貢献してきたのである。

ただし、こうした町でも犯罪は発生する。犯罪者は、シナゴーグの会衆以外の場合が圧倒的に多いが、いずれにせよ、彼らは人生の営みを誤ったのであり、それ相応の報いを受けねばならない。

5　ユダヤ教の古い道

ラビ・スモールは、現代アメリカの会衆をユダヤ人の伝統的な「古い道」に導こうとして孤軍奮闘している。人生においてこのような困難な選択をしたラビ・スモールの生き方に読者は惹かれるであろう。それは記憶と伝統を重視する意味で、大切な生き方であるように思われる。いにしえの賢人の言葉のなかにこそ、普遍的な価値が見出せ、古典に新しい意味を発見するとき、それは生きる力となる。人は、歴史や古典を今に活かすことで、現在を知る。また、長い文化の伝統の中で学んだものを新たに組み合わせ、再生させてゆく。

ラビ・スモールが働くシナゴーグは、伝統を固守する正統派、時代の流れに沿って聖典解釈を試みる改革派、そして中道を歩む保守派の「寄り合い所帯」である。そこでラビ・スモール自身は保守派に属しているというが、彼はむしろ伝統・聖典学習を重視する正統派寄りである。

シナゴーグでは、社交集団、芸術愛好団体、学習集団、慈善団体、スポーツ愛好団体などの活動が活発のようであるが、実際、会衆のユダヤ性に関してはあいまいである。

そこでラビ・スモール・シリーズには、困難にもかかわらず一貫して、ユダヤ人の「古い道」に沿ったラビの生き方が描かれている。それはユダヤ教の戒律に沿った生き方であり、それは絶えず学ぶ生き方である。

ラビ・スモール・シリーズは、ユダヤ人の伝統的な生き方、戒律に基づいた生き方を、ユダヤ人や非ユダヤ人を問わず、広く一般に知らしめる有効な手段の一つであると見なせよう。

いっぽう、ホロコーストやその後のイスラエル建国の影響によって、若いユダヤ人がその根本を振り返る動きもある（『ユダヤ教案内』）という。ここにおいてラビ・スモールが、大学でユダヤ教育を施す意味も増してこよう。また、アイザック・バシェヴィス・シンガー、エリ・ヴィーゼル、ソール・ベローなどユダヤ系アメリカ作家の作品にも窺えるように、ユダヤ教正統派であるハシド派の人々は、伝統的なユダヤ人の古い道を目指している。

変化の時代を生きるためには変革が求められるが、それと同時に、時代を超えても変わらない原則・古い道を維持してゆくことも大切である。古い道と新しい道との適切な均衡が求められよう。

ユダヤ教の聖典が人としての生き方を教え、人の生涯の運営計画を築かせ、人を不完全な現世の修復に向かわせるのであれば、古い道を歩むことには意味がある。

6　ラビの職務

ラビの職務は「二十四時間体制である」（『日曜日、ラビは在宅』）と言えようが、ラビ・スモールはユダヤ社会やシナゴーグの運営に関わる仕事をこなしながら、合間を縫って研究を継続している。この意味で、ラビ・スモールは常に自己管理や時間管理を訓練していると言えよう。

「伝統的にラビは（広い意味で聖書、タルムード、後世のラビたちの著述を含む）トーラーの教師であり、トーラーを日常生活にいかに応用するかを探求する」（『新イディッシュ語の喜び』）という役割を、ラビ・スモールも果たそうとしている。

ラビはヘブライ語で「わが師」を意味するが、ラビはシナゴーグの精神的な支柱であり、シナゴーグの雰囲気を形成している。ラビ・スモールのような人物なくしては、宗教的なユダヤ社会は枯渇してしまうであろう。

豊かな戒律の知識を活用して、会衆のもめごとを仲裁することもラビの職務の一つであるが、実際、現代アメリカにおいてこのことを実践するのは、シリーズ全体を見渡しても、『金曜日、ラビは寝過ごす』における一回のみである。

ユダヤ人は、二〇〇〇年に及ぶ流浪の中でも民族の記憶や伝統を大切に守り、存続してきた。それを樹に譬えるならば、根をしっかりと張り、幹を伸ばし、枝や葉を茂らせてきたのである。ユダヤ人がさらなる発展を目指すとき、その根本に戻り、そこから滋養を吸い上げようとする気持ちは理解できよう。ラビ・スモールは、そのような意味で伝統、古い道を重視しているのである。

ラビの任期は、一年契約で始まり、それが次第に伸びてゆき、「終身契約」となる場合があるが、ラビ・スモールはシナゴーグの理事会より終身契約を提示されても、それを断わっている。おそらく彼は、そのような保証がもたらす精神的なゆるみを望まないのであろう。

また、ラビの再契約を有利にするために、「裕福な女性と結婚するか、ベストセラーを出版するか、地方政治に携わって影響力を強化するか」、という考えも提示される（『金曜日、ラビは寝過ごす』）が、ラビ・スモールはそのようなことを一顧だにしない。

当然、ラビは時には仕事に疲れを覚え、イスラエルに研究休暇で出かけたり（『月曜日、ラビは発つ』、『ある晴れた日、ラビは十字架を買う』）、山間部に籠ったりすることもある（『ラビ・スモールとの対話』）。真の意味で休暇を取り、心身を回復させるためには、会衆から離れ、研究に没頭できる場所でなければならない。そこで米国を離れてイスラエルに行くか、人里離れた山間部に向かうわけである。

ところで、ラビ・スモール・シリーズでは、異なるタイプのラビも登場する。たとえば、『月曜日、ラビは発つ』において、イスラエルに旅立つラビ・スモールの代役を務めるラビ・ドューチは、さしたる原則もなく、会衆に迎合し、それでいて自分は会衆操作が巧みであるなどと信じている。彼の場合、学者肌でもないので、退職後、時間を持て余し、妻を困らせることであろう。また、大学におけるラビ・スモールの前任者であるラビ・ラムデン（『火曜日、ラビは激怒する』）は、教育や学生評価に生ぬるい人物である。さらに、『その日、ラビは町を去る』において、ラビ・スモールの後任となるラビ・セリグは、ラビ専門学校でユダヤ教を学んだだけの経歴であり、あたかも「ベルリッツで会話を学び、それを母語とする人々に教えている」かのような気持ちで会衆に接してゆく。

7　理事会

シナゴーグには理事会があり、その中で理事長はラビに協力したり反対したりしながら会衆の諸行事を運営する。そこには四十五名の理事がいるが、常に出席するのは十五名くらいであるという。

理事会メンバーの中には、ユダヤ共同体は非ユダヤ人の思惑に配慮し、彼らに歩調を合わせて融和し、ラビは共同体の代表として外部世界とのダイナミックな交渉をつかさどるべきである、という考えがある。伝統的なラビ像ではなく、現代的なラビのイメージを求めるのである。ところが、本シリーズのラビ・スモールは古い道を生きようとする人物であり、ユダヤ人の生活が伝統を離れ、その精神的な核が失われることを防ごうとする。したがって、理事会メンバーとラビは常に緊張関係にあり、ラビは絶えず解雇される危機に瀕しており、前述したように、事件解決の緊迫感に加えて、ラビの身分に関わる別の緊張感が織り込まれているのである。

ところで、人生に不幸や失敗はつきものである。いかなる分野でも成功を勝ち得ることは容易ではない。そのような人生において、それでも人はひとかどの存在感を発揮し、生き甲斐を覚え、違いを見出さずにはいられない。その欲求を満たすものが、シナゴーグを含めた非営利組織での活動であろう。そこで人は何らかの存在感を発揮し、自分もひとかどの人物であると思い、生き甲斐を見出したいのだ。

『日曜日、ラビは在宅』にも描かれるように、実際、多くの人の生涯において、妻は、女優と言うには程遠く、子供たちはとても神童とは呼べず、自分の人生も平凡なまま死ぬまで続いてゆくであろう。こうした状況でも何らかの意味を見出し、生き甲斐を感じたい。そこで人は、シナゴーグの理事会メンバーとなり、そこで何らかの違いを見出し、ひとかどの人物であると認められたいのである。

ピーター・ドラッカーの『非営利組織の運営』にも同様の人間心理が述べられてあるが、そこで非営利組織は、「人を変革する媒体」であると位置づけられている。アメリカにおいて非営利組織は、社会の周縁であった存在より今日では中心的な役割を果たすようになったという。なお、本書には、戦争で重傷を負った後、ゼロより始めてシナゴーグを建設し、会衆の自立を助け、次は学園紛争で荒れる若者たちの更生を援助し、さらに老いた人々の自助を支援して生涯を全うしたラビの逸話が盛られている。

ラビ・スモールと交わる代々の理事長の中には、シナゴーグの建設に尽力した初代のワッサーマン、自動車会社を経営するベッカー、百貨店を所有するマグノソン、観光業に従事するバーグマンなどが含まれているが、彼らは、信念を貫徹するラビ・スモールと論争しながらも、最終的にはラビに心服するように変わってゆくのである。

8　おわりに

記憶と伝統に絡めてラビ・スモール・シリーズを辿ってきたが、ここからユダヤ系アメリカ文学におけるソール・ベロー、バーナード・マラマッド、アイザック・バシェヴィス・シンガーを含め、さらにエリ・ヴィーゼル、ハイム・ポトク、ハイム・グラーテらの諸作品に向かう羅針盤を得られるのではないだろうか。そのための鍵語は、古い道と現世の修復である。

たとえば、ベローやシンガーなどの作品には、ユダヤ人の伝統的な古い道を求める動きが窺え、また、ヴィーゼルは、ユダヤ教神秘主義の聖者たちの伝記を著している。

差別、迫害、流浪の歴史を経てユダヤ人が存続してきた要因は、聖書、タルムードの学習を継続してきたことであった。ユダヤ教が彼らの存続を助けたのだ。ユダヤ教がユダヤ人の生涯学習や生涯運営計画を促し、それがユダヤ人の優れた資質に結び付いたのだ。そこで「ユダヤ教が欠けたユダヤ人は、チキンの入っていないチキン・スープのようなものだ」

（『ユダヤ教入門』）という考えも頷けよう。ラビ・スモールはユダヤ教の伝統を維持しようと奮闘してきたのである。

『ラビ・スモールとの対話』によれば、今日、十分な食料配布のために人口を抑制する技術はあり、世界的な情報の伝達方式や物流制度も整備されているのであるから、円滑な社会の運営ができるはずである。しかし、その達成を妨げているものがあるとしたら、それは何か。今後の課題であろう。

引用・参考文献

Blech, Benjamin. *The Complete Idiot's Guide to Understanding Judaism*. New York: Alpha Books, 2003.

Chesterton, G.K. *The Father Brown Omnibus*. New York: Dodd, Mead & Company, 1910.

Doyle, Arthur Conan. *The Complete Sherlock Holmes Short Stories*. London: John Murray, 1928.

——. *The Complete Sherlock Holmes Long Stories*. London: John Murray, 1929.

Drucker.Peter F. *Managing the Nonprofit Organization*. New York: Harper, 1990.

Kemelman, Harry. *Friday the Rabbi Slept Late*. Bath: Chivers Press, 1964.

——. *Saturday the Rabbi Went Hungry*. New York: Fawcett Crest, 1966.

——. *Sunday the Rabbi Stayed Home.* New York: Fawcett Crest, 1969.
——. *Monday the Rabbi Took Off.* New York: Fawcett Crest, 1972.
——. *Tuesday the Rabbi Saw Red.* New York, Fawcett Crest, 1973.
——. *Wednesday the Rabbi Got Wet.* New York: Fawcett Crest, 1976.
——. *Thursday the Rabbi Walked Out.* New York: Fawcett Crest, 1978.
——. *Conversations with Rabbi Small.* New York: Fawcett Crest, 1981.
——. *Someday the Rabbi Will Leave.* New York: Fawcett Crest, 1985.
——. *One Fine Day the Rabbi Bought a Cross.* New York: Fawcett Crest, 1987.
——. *The Day the Rabbi Resigned.* New York: Fawcett Crest, 1992.
——. *That Day the Rabbi Left Town.* New York: Fawcett Crest, 1996.
広瀬佳司監修『新イディッシュ語の喜び』大阪教育図書、二〇一三年。

あとがき

本書の副題を、「自己を掘り下げる試み」とした。その副題は、ふと心に浮かんできたものであったが、改めて推敲しながら本書の各論を再読してみると、自分でも頷けることが多い。

たとえば、以下のような表現がけっこう目に留まるのである。精神の覚醒、精神の核、魂を秩序づけること、修復の主題、人生での優先事項、人生で集中すべきもの、人生の方向性、自己を深く掘り下げてゆくこと、真剣に死に向き合うこと、それによって生を活性化すること、存続への戦略、高次の生活、そしてユダヤ教の使命、合理主義と神秘主義の融合、ユーモア、など。

こうした表現は、『シュレミール』に執筆してきたこの二十年間、僕の心にしばしば浮かんできたものであった。それはまた、青山学院大学の経営学部で研究・教育に従事しながら愛読してきたユダヤ系経営学者ピーター・ドラッカーの影響であるかもしれない。

加えて、僕が十年以上、透析を受けている難病患者であることも、右記のような事項に関心を払うよう促してくれたのだと思う。これは、死と競り合って生きることであるが、同時に凝縮された生を営む契機ともなっており、感謝している。

ところで、第6章において、ホロコースト生存者であるレジネ・バーシャクさんに言及したが、彼女のことも本書を編む一つの理由であった。

バーシャクさんに初めてお会いしたのは、一九九二年に英国で開かれた「ホロコーストを記憶する国際会議」であったが、たまたま隣に座ったに過ぎないことが、思いがけなく豊かな交わりへと発展した、当時、勤めていた職場で国際交流委員となり、大学間の協定締結のために毎年のように海外へ出ていたので、その折、ボストン郊外にあるバーシャクさんのお宅に三回ほど泊めていただいた。恵まれない人々のために働いているご主人で弁護士のエドワードさんにもお世話になり、ご主人の運転で、またエドワードさんが作ってくれた弁当を持って、ユダヤ研究で名高いブランダイス大学を訪れたことも懐かしい。また、ご夫妻と英国旅行をする機会にも恵まれた。バーシャクさんが団体旅行で来日した折には、僕や妻は、上野や浅草などで彼女と有意義な時間を共にしたのである。こうした交わりの過程で、バーシャクさんと交わした手紙は、二冊のファイル帳を膨らませる量に達した。

バーシャクさんもまた、死と競り合って生きる生活であったと思うが、彼女と人生のひと時を過ごせたことを、感謝したい。

本書の出版を快諾された大阪教育図書の横山哲彌社長、そして本書の内容を細かく検討され、体裁の統一などの複雑な仕事を効率よくこなしてくださった編集スタッフに心よりお礼申し上げます。

二〇二〇年十一月

著者紹介

佐川和茂（さがわ・かずしげ） 一九四八年千葉県生まれ。青山学院大学名誉教授

著書に『文学で読むピーター・ドラッカー』（大阪教育図書、二〇二一年）、『希望の灯よいつまでも　退職・透析の日々を生きて』（大阪教育図書、二〇二〇年）、『青春の光と影　在日米軍基地の思い出』（大阪教育図書、二〇一九年）、『楽しい透析　ユダヤ研究者が透析患者になったら』（大阪教育図書、二〇一八年）、『文学で読むユダヤ人の歴史と職業』（彩流社、二〇一五年）、『ホロコーストの影を生きて』（三交社、二〇〇九年）、『ユダヤ人の社会と文化』（大阪教育図書、二〇〇九年）。共編著書に『ホロコーストとユーモア精神』（彩流社、二〇一六年）、『ユダヤ系文学と「結婚」』（彩流社、二〇一五年）、『ユダヤ系文学に見る教育の光と影』（大阪教育図書、二〇一四年）など。

『シュレミール』の二十年 — 自己を掘り下げる試み

2021年 3月 16日 初版第1刷発行

著　者　　佐川 和茂
発行者　　横山 哲彌
印刷所　　岩岡印刷株式会社

発行所　大阪教育図書株式会社
〒530-0055　大阪市北区野崎町1-25
TEL　06-6361-5936
FAX　06-6361-5819
振替　00940-1-115500
email=info@osaka-kyoiku-tosho.net

ISBN978-4-271-90015-3 C0195 落丁・乱丁本はお取り替えいたします。